本文イラスト／奥　勝實

はじめに――自分に新しい「個性」と「魅力」をプラスする本

「感じがいい人」というのは、どういう人のことだろうか。

考えてみれば、いわゆる人物評価をする上で、これほど、あやふやなものもないだろう。

しかし、実際は、この「感じ」というのは、人と人とが関係をつくっていく上で、大きな要因となる。「感じがいい」という目に見えない力は、その人の一生をつくりあげていくように思う。

たとえば、友人や異性との出会い、就職活動での面接、仕事場での人間関係や昇進……などで、「感じのよさ」は、知らず知らずのうちに、その人の人生をいい方向に導いていく。また、周りの人も「感じのいい人」を引き上げようとするのは当然のことのようにも思うのだ。

こんなエピソードを一つ紹介しよう。

その男性は、今まで勤めていた会社をやめ、転職活動をしていたのだが、うまくいかず、なかなか就職先が決まらなかった。そこに、タイミングよく就職の世話をしてくれる話が持ち込まれた。いわゆるコネである。しかも、テレビのCMなどでもちょくちょく目にする一流企業で、もちろん給料だって悪くなさそうだ。

これはがんばろうと、意気込んで面接に臨んだのだが――結局、自分からお断りすることにしたそうだ。その理由は、最初に応対してくれた社員や、そのあとの面接官も、「なんだか感じが悪いから」とのこと。

当人よりよっぽど期待していた周りの人たちは、あぜんとした。

「そんな理由が、理由になるか。これ以上ない話じゃないか。後悔するぞ」

必死に怒ったりなだめたりしたが、当人にとってはりっぱな理由であり、それから半年後、頑張ってやっていけそうな就職先を自分で見つけたそうだ。

もちろん、どんな人が「感じがいい」のかは、人それぞれだ。

たとえば、あなたが就職や転職をしたとする。慣れない職場で緊張しているところに、気さくに話しかけてくれて緊張をときほぐしてくれる人。

あるいは、何か悩んでいるときに、さりげなく励ましてくれる人。ときには一緒になって、バカなことにつきあってくれる人。イザというときには、必ずフォローをしてくれる人……。

自分も感じよくなりたい、もっと人に好かれたい……と思った人は、本書を読んでたくさんのヒントを見つけてほしい。ただし、こういうことはいえそうだ。「感じのいい人」になるためには、なにも必死になって努力する必要はない、ということ。

「そうか、この人はこんなことを言われるのがイヤなんだな」

「あの人はこう言うけど、やっぱり自分はこっちが大切だと思う」

「こんな気くばりが自分には足りないな。気をつけなければ」

こういうことに、たくさん、たくさん「気づく」ことが大切だ。そうしているうちに、知らず知らずに自分に新しい「個性」や「魅力」がプラスされ、いつのまにか「感じのいい人」になっている——。そういうことだと思うのだ。

斎藤茂太

なぜか「感じのいい人」ちょっとしたルール

1

いやいや「YES」を言うより、気持ちのいい「NO」が言える人

感じのいい人は、断り上手である。

日本ではまず、ダイレクトに「イエス」「ノー」をいわないほうが人に好かれる。

たとえば、人に頼まれごとをされたとき、

「おっしゃることは、とてもよくわかりました。たしかにあなたのご意見のとおりです。でも……」

と柔らかく断るほうがよい。ワンクッションはさむわけだ。あなたのことを嫌いなわけではありませんよ、これからも人間関係は続けていきたいと思います。でもそれはできません、ということを伝える。

こうすれば、やりたくないことは断っても、それで人間関係がすべてダメになってしまうことはない。つきあえるところでつきあっていけばいい。

断りベタな人は、まず何でもイエスといってしまう人。本当はイヤなのに、「断っ

ては相手に悪い」と思ってがまんして、やりたくないことにつきあう。こんなことをいつもやっていたら、そのうちに人づきあいするのもイヤになってくる。

また、自分の能力以上のことを引き受けてしまい、そのうち、突然パンクしてしまうこともある。

ときには自分のつきあえないこともあるのだから、そういうときは上手にノーをいえるほうが気がラクで、人間関係が長続きする。また、

「それは困ります。できません」

とはっきりいいすぎるのも断りベタな人。相手は「全面拒否」されたように感じる場合もある。

断り上手な人は信頼感を持たれる。この人が「ノー」といったときは本当に都合が悪いのだろう、この人が「イエス」といったからには、途中でパンクすることなく、ちゃんと最後までやってくれるだろう、という信頼感だ。これも人間関係が長続きする重要な要素である。

2

「感じのよさ」度は、この「スキの見せ方」で決まる！

他人に「スキを見せる」ということは大事である。

見せすぎて自分のよさをまったくアピールできないのでは困るが、適度に「スキを見せられる人」は、人様から感じがいいと思われる。相手に安心をもたらすからだ。

私はよく講演を頼まれる。たとえば、そのテーマが「よい夫婦関係」だったとする。そこへきてくれる人は、「こんなテーマで講演をするのだから、斎藤家はみごとな夫婦関係なのだろう」と思っているだろう。しかし私は、開口一番、こう告白する。

「私はもう女房とは一千万回もケンカしてきました。実はけさも、出がけにケンカしまして……」

すると、みなさんに、「なんだ、オレと同じじゃないか」と親近感を持ってもらえる。「人のふり見てわがふり直せ」というが、私の夫婦ゲンカを参考に、「よい夫婦関係」のきっかけになればよいわけだ。

「オレは偉い。オレは夫婦関係を完璧にやっている。だからオレを見習え」

こういう態度はいけない。誰が見習う気になるのか。

私は、最近、物忘れがひどいのだが、こういうことを隠す人も多い。しかし、私は、

「いやあ、最近、物忘れがひどくて。またやっちゃったよ」

と、大げさに話す。

「私は一〇〇パーセント完璧な人間でございい」という態度をとる人は、まず間違いなく嫌われる。「一〇〇パーセント完璧人間」は、完璧な人が好かれるのだと思って、自分をそう見せようとする。「スキを見せまい、見せまい」と必死になる。

人間は、誰でも八〇パーセントできたら上々である。それを九〇パーセント、一〇〇パーセントに見せようとするから無理がくる。ウソをついたり他人をおとしいれたりして、よけいにボロを出す。

八〇パーセントがんばって、二〇パーセントのスキは隠さずに見せてしまう。このくらいが、感じがいいのではないか。

3

これが女性に嫌われる典型的な「断られベタ」

あいまいすぎて、イエスなのかノーなのかさっぱりわからないのも困るが、反対に、やんわりと断っているのに、それが通じない人も困る。

「なるほど、それはすばらしい計画です。時間さえあれば協力させていただきたい。でも今回は、ちょっと他のスケジュールで忙しいので、申し訳ありませんが……」

と断ると、「いえいえ、そこをなんとか」と攻めてくる。

断られてすぐに「そうですか」と引き下がるのが失礼になる場合もあるだろうから、二、三度くり返してお願いしてみるのはいい。しかし、あまりしつこいのは困る。

やんわりと断っているうちは、いつまでもつきまとうので、とうとう断固として「ノー」といわなければならないはめになる。お互いに気分が悪いし、傷つく。

宗教の勧誘をする人は、この手だ。「信教の自由」があるから、その人自身がどんな宗教を信じていようとかまわない。しかし、周囲の人にも「信教の自由」があると

いうことを忘れがちになるらしく、しつこく勧誘する人がいる。

自発的に興味を持って「私も入りたい」というならともかく、「私はちょっと……」と断っている人も、会うたびに勧誘されれば、その人とつきあうのが面倒になってくる。

女性をしつこくくどく男性も、宗教の勧誘によく似ている。やんわり断られたときには、少し距離を取って様子を見ながら近寄ればいいのに、「押せ押せ」で強引に押して、ついにバッサリと嫌われてしまう。相手が気持ちよくつきあえる距離感を無視して、何がなんでも自分のほうへ取りこまないと気がすまないのだろう。「断られベタ」なのだ。

見ていると、こういうタイプの男性は、一時はくどき落としても、結局、女性との関係が長続きしない。しかも「二度と顔を見たくない」というほど徹底的に嫌われる。

断り上手な人のほうが人間関係が長続きするのと同じで、断られ上手な人のほうが、人間関係をつなげていくことができる。相手も言葉に耳を傾けて、相手が距離を取ろうとしているな、断りたいのだなと思うときはちょっと退く。これができないと、気持ちのいい関係が成り立たないのである。

4

「今日はそんな気分じゃない……」
――あなたにだってあるはず

断られベタな人のもうひとつのタイプは、必要以上に相手に拒否されたと思い込んでしまう人だ。たとえば私が、

「その日はちょっと都合が悪いんですよ。残念だなあ、次回はまたお誘いください」

と断ったとする。私は本当に都合が悪いだけなのだが、断られベタな人は、

「私は嫌われているのかもしれない。次回はまた、などといっているが、本当はまた誘ったら迷惑なのではないだろうか。また断られるのではないか」

などと思ってしまい、二度と誘えない。これでは人間関係を保っていけない。

相手が断り上手な人なら、

「その日は都合が悪いんですが、来週の○曜日ならいいですよ」

というふうにいうだろう。これなら、向こうから提案してくれているので拒否されたとは感じない。釣りにはつきあえないが、カラオケならつきあいたいという人もい

るだろう。毎日電話をかけてきておしゃべりされても困るが、月に一回くらいは、お茶を飲みながらおしゃべりしたいという場合もある。

ちょっと断られたからといって、すべての人間関係をバッサリ断ってしまう必要はない。つきあえる部分で、つきあえる距離でやっていけばいいのだから。

男女の関係でも、一〇〇かゼロか、というような人がいる。

「まずはお友達からおつきあいしましょう」

などといわれたら、「友達以上の関係にはなりたくないといわれているのだ。嫌われているのだ」と思ってしまったり、もう二度とデートに誘えなかったりする。

逆に、一度食事に誘ってOKしてくれたら、あとはもうどんどん押していけばなんとかなるだろうと早合点な人もいる。

人間関係は、一〇〇かゼロかではない。その間にある、それこそ一から九九までのさまざまな状態が、時に応じて形を変えて表出してくるようなものだ。その空気を嗅ぎ取れれば、「今日は疲れているのだな」「今日はその気分ではないらしい」と、断られ上手になれるのだが。

5

〝仮想敵〟をつくるから、ウソや言い訳が多くなる

世の中には嫌いな人もいる。

「いつかあいつを打ち負かしてやる！」と思うこともある。

そのパワーを励みにするのも、まぁいいだろう。しかし、「仮想」がいきすぎることには注意したい。

会議で、あなたのA案に反対するNさんがいるとする。Nさんは、この案件においてはあなたの「敵」といってよい。あなたとしてはNさんを論破し、A案を通したい。

一方、あなたのA案に賛成してくれる「味方」もいる。

これはこれでよいのである。仕事のある一定の範囲内で「敵」「味方」に分かれて争うのは、スポーツで「敵」「味方」に分かれて争うのと同じことだ。しかし、ゲームが終われば敵も味方もない。仲良くいっしょに食事ができる相手であるはずだ。

ところが「仮想敵」になってくると、仕事が終わっても、いっしょに飲みにいくの

もイヤになってしまう。あなたの「仮想」の世界の中で、Nさんは、ともかく「敵」になってしまう。現実をよく見れば、単にA案問題で「敵」だということだけなのだが。

しかし、すでにNさんを「敵」とみなしているあなたは、今度は、次の会議でNさんが出したN案に反対する。本当はN案もよさそうだが、とにかくNさんは敵だから、何でも反対したくなってしまうのである。

こうしてさらに「仮想」の世界ができあがり、現実には何がいいのか判断がつかなくなってくる。これが、トラブルが生じる元である。現実的に考えれば解決することでも、お互いに「仮想」の世界に入っているので、敵に勝ちたいがための、〝へ理屈〟ばかりのむちゃな議論になってしまう。反対のための反対である。

あなたにも「敵」がいるだろう。「敵」なしの人生などありえない。しかし、それは「どの範囲」での敵なのか、どこからどこまでの敵なのか、はっきりさせておくとよい。リングを決めて、リング以外で戦うのは反則、ということにしておけばよい。

そのかわり、リングの中では容赦しない。リング内では手かげんなく敵と闘い、終わったらすっぱり親しくできる人は、とても感じがいいものである。

6 〝仮想味方〟をつくるから、余計な心配が増えていく

「仮想敵」に対して、「仮想味方」という言葉はあまり聞かないが、「仮想味方」をつくっている人もたくさんいる。

これは、「仲のいい人」はすべてにおいて自分に賛成してくれて、いつでもどこでも自分の味方だという「仮想」の世界をつくりあげている人である。

実際には、そんなことはない。気の合う友人同士でも、考えが違ってぶつかるときもあるし、場面によっては反対の立場に立つこともある。それでいいのだ。違う人間なのだから、そういうときもあってあたりまえ。考えがぶつかったときには大いにぶつからせて、また親しくすればよい。

ところが「仮想味方」の世界に入っている人は、ちょっとでも相手が自分に反対の言動をすると、もう「裏切られた……」と大ショックを受ける。

あるいは、仮想味方に、「ねえ、こうしたほうがいいんじゃない?」と進言する。

味方だから、てっきり自分のいうことを聞くかと思っていたら、その人は自分の考えで、全然別の行動をした。すると、「裏切られた……」と思う。仮想味方にされてしまったほうもたいへんである。この人の仮想世界には、とてもつきあえない。

つまり、仮想敵をつくる人も、仮想味方をつくる人も、一〇〇パーセント完璧人間なのである。一〇〇パーセントとは「仮想」の世界なのだ。

現実には何ごとも一〇〇パーセントということはない。その間の適当なところが「現実」の世界なのだ。

危険なのは、この「仮想」人間というのは、現実の判断力が欠けていることだ。自分の行動は、「仮想」の世界の中では見えなかったり、美しい行為になっていたりする。

仮想の世界に入りやすい人は、現実の世界にぶつかるとショックを受けやすい。そういうときには、気楽に「ま、そんなこともあるさ」とつぶやいてみよう。あんなことも、こんなことも、そんなこともあるのが現実だ。だからといって、どうということもなく、また生きていけばいいのである。

7 「感じのいい人」と「当たり障りのない人」の大きな違い

「感じのいい人」は、多くの人に好かれる。

けれども、決して当たり障りのない、没個性な人間ではない。たくさんの人と上手につきあっていけるが、決して無色透明ではない。「自分の色」といえる個性を持っている。「あの人らしいね」といわれる個性があるが、決して「ワンパターン」ではない。

「どうせいつものことで、こういうに決まってるよ」

これは「個性」ではなく、没個性である。そのときそのときの判断で、いうことも、やることも違う。しかし、その判断・決定に「その人らしさ」が感じられるのが「個性」といえるだろう。上司にいわれたとおりにしたのでもない、部下の目が気になったから決めたことでもない、夫のいうことを「はい、はい」と聞いただけでもない、「しかたなく」「こうするしかなかったから」とイヤイヤやっているのでもない――。

いろいろな条件、いろいろな人の意見、それらを考えた上で判断し、自分で決定する。それが「その人らしさ」につながる。そして、毎日、毎月、毎年、これを積み重ねていくにつれて、その人の「個性」がにじみ出てくるのではないだろうか。

「自分の味」を持つ人は、その「自分らしさ」をよく知っている人、ともいえる。

「この場所では、私の〝味〟は出せない」

「こういう場所なら、私の〝味〟が生かせる」

「この人とつきあうときには、私の〝味〟をこう出せばよい」

その総合判断がうまい。だから、「自分の味」を生かしながら、周囲の「別の味」とつきあって調和していけるのである。

反対に、「わがまま」「自分勝手」と思われたくないから……と言動を自制していたら、「自分の味」がいつまでもわからないままだ。

その結果、意図とは裏腹に調和を乱すこともある。本人は「自分の味」に無自覚なので、調和を乱しているのが自分であるとは夢にも思わず、「自分の味」を自由に出している人を「わがまま」と批判する。それよりも、「自分の味」をもっと出して、その上で「他人の味」とのハーモニーを見つけるのが大切だ。

8

何をするにも、「お互い気分がいい」ことに注目する

何ごとにおいても、タイミングの悪い人は不快感を与える。

たとえば、話の途中で、絶妙のタイミングの悪さで中断させる人がいる。話が盛り上がって、さあこれからオチに入ろうかというときに、突然、こんなことをいう。

「ねえ、終電の時間、だいじょうぶかしら？」

あと三〇秒で終わる話がそこで中断され、誰かが電車の時間を調べる。まだ三〇分はだいじょうぶよ、ということになって座り直す。

「あら、ごめんなさいね。さっきの話、続けて」

続けてといわれても、もう残るはオチのみ。起承転結の結だけポッンと取り残された状態だ。「もういいですよ」というのも大人げないので、適当にちょこちょこと結末を話してまとめる。なんとも無念である。

しかし、タイミングの悪い人は、これだけでは終わらず、しばらくしてからもう一

度、同じことを繰り返す。

こういう人を見ていると、人といっしょにいても、「自分だけの時間」が流れているようだ。体はその場にいるのだが、頭の中は自分のペースであちこちに飛んでいるので、「その場の雰囲気」が読み取れない。その場の流れに一致していないのだ。

みんながその場の流れに一致してしまって、実際に電車に乗り遅れる場合もあるだろうが、こういうときにハッと気がついてタイミングよく電車の時間に気をくばれるのは、決して「タイミングの悪い人」ではない。むしろ、その場の雰囲気を敏感に感じ取る力があり、みんなの流れに気持ちよく一致している人である。

この違いは何だろうか。どうもタイミングの悪い人は、「全体の利益」に関心が向いておらず、全体に目くばりがきかない。だから、その場にいる多数の雰囲気がわからない。電車の時間ひとつとっても、全体から見た判断ではなくて、思いつきだったり、自分の不安を口にしているだけである。

全体を見ている人は、会話の流れもつかめるし、電車の時間もちゃんと判断できる。それを口にするタイミングも適当にはかることができる。その場にいるみんなに「よかれ」という行動ができるので、感じがいいわけだ。

9 そんなこと、相手にはっきり言う必要がありますか?

いっしょにいるときにタイミングの悪い人は、なぜか、いっしょにいないときまでタイミングが悪い。たとえば電話だ。まるでこちらの都合の悪いときをねらったかのようにかけてくる。もともとその相手に好意を感じていないから、

「またタイミングの悪いときにかけてきたな」

と感じてしまうのかもしれないが。

電話では、相手がいま何をしているかが見えない。食事の最中かもしれないし、風呂から上がったばかりかもしれない。別の人と話し中で、キャッチホンで出たのかもしれない。三分ですむ用件ならいいが、長話しは困るというときもある。だから、電話をかけるときは気を使う。

しかし、世の中には、相手に気をくばることを知らない人もいるらしい。ある女性は、ときどき深夜にも電話がかかってくることがあるという。夜中の四時ごろベルが

鳴り、何ごとかと思って電話を取ると、「寝てた？」と女友だち。「寝てたわよ」と不機嫌な声を出したのに、今日はだんながいないからと、延々と現在進行中の不倫の話を聞かされたそうである。

またあるときは、家に帰ったところで男性から電話がかかった。

「いま、だいじょうぶ？」

「あ、いま外から戻ってきたばかりなんです。これから食事もしたくて……」といったが、かまわず後輩のグチ話を始める。それから三〇分、話はとまらなかったそうだ。

話が長くなりそうなとき、「いま、だいじょうぶですか？」と聞くのは礼儀だろう。しかし、返ってきた答えから都合が悪そうな雰囲気を察することができなければ何にもならない。

「いま、だいじょうぶ？」「ダメです！」と、ここまではっきりいわれなければわからないというのでは、感じのいい人間関係は成り立っていかない。

10

自分の「実力以上」も「実力以下」も見せないこと！

「こうすれば、男性に好かれる」

「こんな男は、女性に嫌われる」

雑誌やテレビでは、「どうすれば異性にモテるか」ということを、手を替え品を替えて教えている。こういうテクニックを覚えるのはいいことだ。それできっかけができて、つきあいが始まる。しかし、「男に好かれる女性」「女にモテる男性」に、あまり縛られすぎるのもどうか。

たとえば、「男はみんな、聖母のような女性を求めている」という。母の胸に抱かれて安らぎたい。それは男にも女にもある願望だろう。恋愛の初期に、相手の女性の母性を感じると、彼女がまるで聖母のように見えてしまうこともある。

「彼女なら、ボクが何をしても許してくれる」

こんなふうにカン違いしてしまう男性は意外に多いようだ。

しかし、まあ、現実には、男も女も聖人ではない。相手の描く理想像を、いつまでも演じ続けるのは無理だ。きっかけはともかく、いつまでもそんなフリをするのはやめておいたほうがいいだろう。

パッケージで人の目を引き、買わせる手はたしかにある。しかし、パッケージと中身があまりに違うのは「誇大広告」というものだ。人間関係、恋愛関係で、いつまでも自分の「誇大広告」のキャンペーンをしていたらうまくいかない。パッケージを開いたときの相手の落胆ぶりが怖い。だから、いつまでもパッケージを開けられない。

しかし、パッケージを開かずに人間関係はできない。相手が気に入るかどうかはわからないが、いつかは中身で勝負するときがくるのだ。パッケージがよすぎて、「詐欺だ」といわれないように、中身に見合った程度の宣伝にしておいたほうが気がラクではないか。

あなたは、いつのまにか相手の目に合わせて自分をつくっていないだろうか。つい、相手の気に入りそうなパッケージで自分を包んでいないだろうか。パッケージなしのむき出しも困るが、中身と全然違う「不当表示パッケージ」をつくりあげないようにしたい。感じのいい人とは、中身に見合ったパッケージで自分を包める人である。

11

私がつい忠告したくなる
――「感じの悪い人」予備軍たち

自己顕示欲の強い人は、あるところまでは成功することも多い。その負けん気負けず嫌いで、いつも自分が天下一の人物でなければ気がすまない。その負けん気と努力が結びつけば、能力的にも向上する。

強引にアピールしたり、図々しいほどに積極的なので出世もする。自分の非は絶対に認めず、必ず人のせいにする。自分より能力のありそうな人がいれば、悪口・中傷で引きずりおろす。周りから「とてもこいつとはいっしょに仕事していけない」と思われ、ライバルが自分からやめていったりする。そこで、都合よく自分がいいポストにつける。

けれども、こういうタイプは、何年かのうちにはやはり失脚する。結局、人間関係でつまずくのである。周囲に毛嫌いされて、誰もついてきてくれる部下がいなくなったり、ちょっとした思いどおりにならないことにかんしゃくを起こし、

「こんな会社にいられるか！　オレは他でいくらでもやっていける！」

と飛び出してしまうケースも多い。

こういう人は、自分の実力について見誤っていることが多い。周りの人のいうことを聞かないのだから、修正する機会がなかったのである。もっというなら、自分が賢くなるチャンスをむざむざ見逃してきた人ともいえよう。

こういう自己顕示欲の強い人をそれとなく観察していると、一時はパーッと繁栄することもあるが、結局、負けていく。この人の周りに集まっていた人も、決してこの人を好きなわけではなく、はぶりがいいから集まっていただけなので、落ちぶれたらサーッといなくなる。対等にものがいい合える信頼関係ではないからだ。

こういう人を見ると、つい「気をつけたほうがいいぞ」と忠告したくなるのだが、かえって逆恨みされそうな気もする。あたらずさわらず、「あんたが一番」とおだてておくしかない。やはり、「他山の石」「人のふり見てわがふり直せ」で、自分が感じのいい人になる糧にするのが一番いいだろう。

12

大人になれば、誰もがそれほど「いい人」でもない

ある男性から聞いた話だ。

Bさんという社内の鼻つまみ者がいる。Bさんは京都出身のおぼっちゃまで、関東を「田舎者」「文化がない」とバカにしている。いまは東京の会社に勤めているのだが、ふた言めには「だから関東の人は……」と嘆く。

周囲の人たちは、「じゃあ、さっさと京都へ帰れ」といいたいのをグッとこらえてつきあっている。もちろん内心、いい気持ちはしない。

さらにBさんは、自分の出身大学を自慢し、それ以外の大学の人を「だから○○大学は困るよ」と、ことあるごとに口をとんがらせる。Bさんの出身大学は東京にあるのだが、この程度の矛盾は恥ずかしいとは思わないらしい。

あるとき、会社の先輩の男性が忠告した。

「おまえだって、自分が『だから京都の人は……』『だから△△大学は困るよ』とい

われたらイヤな気持ちだろう？」

というと、彼は「イヤだ」という。

「じゃあ、これからはやめろ」

というと、Bさんは、ふてくされてしまったそうである。

私は、誰もが心の中で、出身地や出身大学で人を差別しているとは思わない。しかし、仮に心の中で思っていたとしても、口に出していいことにはならない。心の中で思っていることを何でもかんでも口に出しても許されるのは、幼児期までである。

大人になれば、誰もが、それほど「いい人」ではない。それほど「いい人」ではないから、周りの人に失礼のないように気を使うのである。Bさんは、「他罰傾向」といって、他人のことは厳しく罰する。自分は相当ひどいことをしていても気がつかないし、または直そうともしない。自分には甘い。

これでは嫌われるばかりだ。どうしても周囲にイヤミや皮肉をいわれることも多い。そこで孤立して、ますます「だから関東の人は……」と文句をいう。悪循環だ。

心の中はともかく、「不快な言葉」を口に出すときには、よくよく考えてからにしたほうがよい。人としての品格が問われるのである。

13 この「余計な一言」を我慢できるか、できないか――

今度はCさんという男性の話だ。

ある日、奥さんが友人と食事に出かけ、家に帰ってから、

「この人と食事していたのよ」

と夫に写真を見せた。

「なんだ。すっげぇブスと会っていたんだな」

「わたしの友だちに、なんてことというのよ。謝って」

「しょうがないだろ、ホントにブスなんだから」

ブスをブスといって、何が悪いのかという態度。それから大ゲンカが始まり、奥さんは一週間も機嫌が悪かったそうである。あたりまえだ。友人と会って楽しく食事をしながらおしゃべりをして、いい気持ちで帰ってきてこんなことをいわれたら、誰だって不愉快だろう。

人間は、見かけだけではない。見かけが美しくなくても、人に好かれる人はたくさんいる。見かけが美しくても、嫌われる人もいる。好みもあって、ある人にはこの人が美しく見え、また別の人にはあの人が美しく見える。

人の友人を「ブス」だなどとののしるなどもってのほかだ。そんなことをいって、いったい誰が得をするのか。たとえ、あまりきれいな人ではないと思っても、黙っておいたらいいだろう。そもそも、他人の友人や家族を悪くいうのがよくない。

あなたの友人が、親の悪口をいっていたとする。

「うちの父はこうなのよ、ひどいのよ」

といったら、

「まあ、それはあなたもたいへんね」

とあいづちを打ち、相手の苦労に共感するのはいい。だが、そこで、

「ほんとに、どうしようもないわよね。そんなおとうさんなんか早く死んじゃえばいいのにね」

などとやれば、あなたは嫌われ者になるだろう。自分では文句をいいつつも、他人から身内や親しい人を悪くいわれるのは不愉快なものなのだ。

14

初対面――まずはこんな「感じのいい先手」を打て

感じのいい人は、友好的である。

「仲良くしましょう」

「お会いできてうれしい」

という気持ちが基本にある。

私たちは、自分に好意を持ってくれる人には好意を抱く。相手の好意を感じると、「いい人だな」と思う。お互いにいい感じの言葉がかわされ、好意が交換される。テニスで球を打ち合うように、プラスの気持ちがいったりきたりする。

こうした、プラスの感情を渡し合うつきあいは、私たちにとって必要不可欠だ。けなし合ったり、いじめ合ったりするより、仲良くするほうが気持ちがいい。たいへんシンプルな法則だ。感じのいい人は、このシンプルな法則を実践できるのである。

では、実践できない場合はどうか。初対面のときから敵意を感じさせる人がたまに

いる。初対面だし、何も悪いことをしていないのだが、相手は私への敵意にあふれている。かまえて初対面にのぞんでいる。

相手がイヤな態度をとれば、こちらもイヤな気持ちになるので、嫌悪感を表してしまう。すると、お互いにマイナスの感情がいったりきたりするつきあいが始まる。感じの悪いことはなはだしい。

プラスの球を打てばプラスの球が返ってくる。マイナスの球を打てばマイナスの球が返ってくる。プラスの球をもらえば、こちらもプラスの球を返しやすいし、マイナスの球をもらうと、こちらもマイナスの球を打ち返してしまう。

感じのいい人であるためには、まず初対面が勝負だ。プラスにかまえて人に会い、できるだけ好意を伝える。最初にイヤな球を打って、マイナスの打ち合いを始めるきっかけをつくらないように気をつけたい。

自分では気をつけていても、相手がイヤな球を打ってくることもある。そのとき、打ち返してしまうと、マイナスの球のラリーが続いてしまう。なるべく打ち返さず、スッとかわして受け流す方法も身につけたいものだ。

15 「感じのよさ」は、サボればあっという間に衰える!?

私たちは、まったくのひとりぼっちには耐えられない。

ストレスの一番強い状態は、「孤独」「孤立」なのである。

アメリカの映画で、刑務所内の「独房に入れる」という刑罰を見るが、あれはまさにひどい罰だろう。人間を、たったひとりで何もない狭い部屋に放り込んでおいたら、精神的に弱い人なら、すぐに正気を失っておかしくなってしまう。

誰でも、「他人と仲良くしたい」「気持ちのいいプラスのやりとりをしたい」のだ。感じのいい人は、プラスの球を打ち合うことになじみがあり、上手にできる。だから、ますます愛されて、いい感じになる。

反対に、感じの悪い人は、相手からマイナスの刺激を引き出すのはお手のもの。マイナスの球の打ち合い方はよく知っているし、おなじみだ。だから、他人の関心が欲しいとき、ついついマイナスの刺激を集める方式に出てしまう。そこでますますイヤ

がられるのだが……。

どちらの球の打ち合いが上手か。それは、最初に何を習って、いままでどちらをたくさん練習したかによるのだろう。

愛情にたっぷり恵まれた環境に育ってきた人は、もともと感じのいい人になる素質を持っていたといえる。生まれつき絵や音楽の才能がある人がいるように、生まれつき人間関係が上手で、その能力をすくすくと伸ばしていく。そういう人もいるだろう。

しかし、ひがんでいても始まらない。「感じのいい人」をめざそうと思ったら、一に練習、二に練習。人とつきあうときに、プラスの球を投げ、マイナスの球をよけ、またプラスの球を投げる。練習しないと上手にならないから、人づきあいを避けてはいけない。筋力トレーニングと同じで、ひたすら毎日実行し、続けることが、「感じのよさ」を鍛える。

鍛えなければ体力が衰えるように、好意の表現も、怠けていれば衰える。練習すれば少しずつでも必ず上達していくし、ちゃんと返ってくるものがある。

16 こんな「場数」を踏めば、必ず好感度は上がっていく！

人と人との関係は、練習である。

それを証明するのは、精神科の治療だ。精神科の患者さんは、さまざまな理由から孤立してしまい、普通の人間関係、普通の社会生活ができなくなってしまった人たちである。

その原因には、家庭環境や、もともとの素質があったかもしれない。けれども、練習することで治っていく場合も多い。

「デイケア」という治療法がある。一定時間、一グループ一〇人くらいの患者さんが集まって、さまざまなプログラムを実行する。

たとえば、自分で弁当をつくって、みんなで遠足に行く。一泊でキャンプをする。みんなで新聞をつくる。小学校や中学校のときの「学校新聞」のようなものだ。また、喫茶店の模擬店をやることもある。つくる人も患者さん、客も患者さん。一杯一〇〇

円払って、その収入は帳簿につけて、また次の材料を買う。

この治療を勧めると、たいていの患者さんは即座に「イヤだ」という。他人とつきあうのが怖いのだ。「一〇人でお茶を飲んでも話題がありません」「サークルの中に入っていけません」という。だから強制はしないが、よければ見学してもらう。

普通の社会生活をしている人は、仲間といっしょに山へ出かけたり、喫茶店でお茶を飲んだりするのは楽しいことだ。しかし、そうではない人もいる。人嫌いで、会話ができず、自分の出し方がヘタ。こういう人がデイケアに参加し、続けているうちに、少しずつ人とつきあえるようになってくる。

その中で、自分のしたことが人に喜ばれて、いい気持ちを味わったり、ちょっと失敗して、「これはやってはいけないことなんだな」とわかったりする。次にはもっとうまくできるようになる。

「こうすればいい」と思っても、その場でスッとできるようになるには、現場で練習を積むのが一番だ。なにごとも場数を踏むのが大切だ。

人と人との関係がヘタな人は、苦手だから、つい、人づきあいから身を引きがちだ。しかし、ヘタな人こそ身を引いてはならないのだ。

17

感じ悪い人に、同じ態度を返すあなたは感じ悪い

感じのいい人とは、その柔らかい態度にもかかわらず、内面はたいへん強い心の持ち主である。

世の中は、努力せずに感じよくいられるほど甘くはない。イヤな人はたくさんいるし、悪いことをする人もたくさんいる。腹の立つこと、イライラすること、ムカムカすること、ストレスの種はたくさんある。

上司に怒鳴られて、むしゃくしゃして家に帰ったら、妻があまりにのんびり平和そうなので腹を立ててしまうことさえあるだろう。ちょっと油断すると、声を荒らげている。そうすると、妻も、

「なんなのよ！　会社でのストレスを私にやつあたりしないでちょうだい！」

と怒鳴りたくもなるだろう。こうしてマイナスの球の打ち合いとなる。

そんな中で、また態勢を整え直し、翌日に持ち越さず、気持ちを新たにしていくの

はたいへんなことだ。

「強さ」というと、はっきり自己主張したり、激しく批判したり、力強く攻撃するイメージを持つ人がいるかもしれない。もちろん、それも強さだ。自己主張や批判もできなければ困る。

しかし、なんでもかんでも自分を主張して他人を批判してやっつけるのが「強い人」というのでは、いじめっこのレベルだ。

不快な怒りを周囲にたれ流し、処理しきれない感情を関係のない他人にぶつけるのは精神的に「弱い人」だろう。腹の立つことがあってもグッとこらえて、まず自分の内で処理できるのが、心が鍛えられている人である。

感じのいい人に感じよくふるまうのは簡単だ。感じの悪い人に感じの悪い態度をとるのも簡単である。

しかし、イヤなことがあったときに、その気持ちをそれ以上広げずに切り替えるのはむずかしい。強い意志が必要だ。

感じのいい人にも、イヤなことはたくさんあるはずだ。それなのに感じよくいられるのは、この強さがあるからに違いない。

18

一緒に食事をしたい人・したくない人の「絶対条件」

みなさんはご存じだろうか。

大勢で集まって、テーブルを囲んで仲良く談笑しながら食事をする。これは人類だけの特権である。

九九パーセントの動物は「共食」をしないそうだ。チンパンジーがいくらか共食することがある程度。あとは、サルでもエサを持ったらサッと仲間から離れて、ひとりで食べる。のんびりしていて、他のサルに取られてしまってはたいへんだ。これは自己防衛本能の表れである。

人間の場合、人といっしょに食事をしなくなったら要注意。心の病《やまい》の始まりのサインだ。家族の食事が終わってから自分の部屋から出てきて、ひとりでゴソゴソと冷蔵庫を探っている。また、会社で同僚といっしょに昼飯を食べに出かけずに、いつもひとり。こうして「孤立」を続けていると、だんだん他人がコワクなってくるものだ。

そのうちに、会社に行くのもコワイ、学校に行くのもコワイ、人とつきあうのがコワイ……と、どこへも出かけられず、ひとりで閉じこもってしまう。

私の病院にも食堂があるが、重症の患者さんは食堂にも出られない。部屋でひとりで食事をする。少しよくなれば食堂に行くが、食堂でも隣の人にわきめもふらず、ひとりで黙々と食べている。もう少しよくなると、隣に座った人としゃべれるようになる。もっとよくなれば、談笑できる。

仲間といっしょに食卓を囲んで談笑する。普通の人から見れば何でもないことだろう。それがこんな重要な意味を持っているのだ。

食べているときは、リラックスした状態だ。楽しい会話ができて、「いっしょに食事をしたい」と思う人は、感じのいい人といえる。反対に、

「あの人といっしょでは、せっかくのおいしい食事もまずくなる」

と敬遠したくなる人もいる。食べているときにも、人の悪口、批判を絶やさない人。やれ、この餃子《ぎょうざ》はまずいだの、どこそこの店のほうがずっとおいしいだのと、うるさい評価をする人。どんなにおいしいレストランでも、この人といっしょに食べるくらいなら、そのへんのそば屋で感じのいい人と食べるほうがずっとおいしい。

19

感じのいい人・悪い人は、「反省のしかた」まで正反対!?

世の中には、反省深い人と、反省浅い人がいる。

反省深い人は、こういう本を読んでも、悪いことが書いてあるとすぐに、

「私もこういうところがあるなあ。気をつけよう」

と思う。面と向かって指摘されたわけでもないのに、恥ずかしく思ったりする。

ところが、反省浅い人は逆だ。

「いるいる、こういうやつ。困ったものだ。この本を読ませて直してやりたい」

感じの悪いのは後者のほうで、感じのいい人が前者だ。感じの悪い人は、自分のことを棚に上げて、悪いのは相手だと思いがちだ。まず相手を責めて、自分を守る。そこがまさに感じの悪さの根源である。

「どうしてキミは、そんなに腹の立つことばかりいうんだ?」

「そっちがつんけんして感じ悪いからだよ」

これではどちらも、「オレは悪い球は投げていない、そっちが先に投げたのだ」という責任のなすり合い、いや、感じの悪さのなすり合いである。

だいたい、自分のトゲというのは痛くないのである。だから、自分が相手に痛い思いをさせていることにはなかなか気づかない。

しかし、相手のトゲで傷つく経験を重ねているうちに、「自分もこういうことをしているな」「相手も自分と同じような思いをしているのだろう」と、相手の立場になって想像することを覚える。何十年生きていてもなかなかこの現実に気づかない人が、感じの悪い人に育つわけである。

「自分も気づかぬうちに、人にイヤな思いをさせているかもしれない」

素直にこう思える人は健康である。これが、感じのいい人への第一歩だ。

「私も感じの悪いことはしているが、それは自分でちゃんと全部わかっている」

こういう人も、実は危ない。自分で気づかなかったことを指摘されても認めようとしないからだ。認めなければ、しだいに感じの悪さの芽が育ってくる。そのうち葉が茂ってきても、「そんなことはない」といっているのでますます葉が育ち、いずれ大きな実をつけてしまうのである。気をつけたい。

20

「感じ」がよくなるトレーニング
——たとえば電車で

誰にでも嫌いな人はいる。

私だって「いっしょにいると不愉快だ」と思う人はいる。しかし、そういう人でも、うまく〝活用〟することはできる。私は、イヤな人物に出会うと「他山の石」と思うことにしている。

「他山の石」とは、どんなものでも、自分を磨くための助けになる、という意味だ。他の山から取れた粗悪な石でも、自分が玉を磨くときの砥石《といし》に使える、ということらしい。

自分がやっていることにはなかなか気がつかないものだが、相手の言動で不愉快な思いをすると、「自分も気をつけよう」と思う。「あれはやっちゃいけないな」「ああならないほうがいい」と気がつく。これはありがたい。

こういうイヤな人物のおかげで、またひとつ、やってはならないことがわかった。

そう思うと、少しはくやしさが晴れる。

また、その場では負けたような気がしてイヤな気分でも、内心、「よーし、なんとかあいつをやっつけてやろう」「追い越してやろう」と、自分が努力するエネルギーの源泉になる。周りがあまりいい人ばかりでは、幸せかもしれないが、それ以上に発奮しないのではないだろうか。

しかし、ありがたいことに、世の中はイヤな人間に事欠かないので、しょっちゅう発奮することができる。

人間観察の力も養われる。電車に乗っていても、周囲を観察していると楽しいものだ。中にはデーンと足を広げて二人分の席を独占している人もいる。「人様への思いやりが全然ないなあ。あれはよくない」と思う。

ちょっと人に気をくばる気持ちがあれば、こんなことはできない。こういう人は、自分のことしか頭にないのだろう。

あなたの周囲にも、きっと「感じの悪い人」がいるだろう。その人は、神様がおつかわしになった悪い見本例である。毛嫌いせずに、「いい人間関係をつくるのに役に立つ。ありがたや、ありがたや」とつぶやいてみよう。

21

相手の話の腰を折る、この「タイミング」に要注意！

感じの悪い人は、まず、自己中心的な人である。

いや、自己中心的なことをあらわに言動に表わす人だ。

内心は誰でも自己中心だし、それでいいのである。しかし、自分がつきあう相手も同じように自分が大事で、自分を守って生きている。だからこそ、お互いにそれを思いやり、相手を大事にする必要があるのだ。

しかし、それがわかっていない人がいる。

たとえば、五～六人でお茶を飲んで談笑しているとき、ある人がいう。

「実は、昨日、ロンドンから帰ってきたんですよ。まだ時差ボケです」

「おや、それはお疲れでしょう。どうですか、ロンドンは寒かったですか？」

こんなふうに会話が続くのが、感じのいい人だ。ところが、

「あら、ロンドン？　私はもう一〇回も行ったわ。ハロッズの靴売場の責任者のミセ

ス・ロビンソンは私の親友で……」

などと、どんな話題が出ても、すぐに自分の話に持っていく。相手は意気込んでロンドンの話をしたかったのに、自分のロンドン通をひけらかして、話の腰を折ってしまう。自分が王様でなければ気がすまないのである。

精神科の患者さんには、こういう人が多い。回診にまわっていると、三人くらいの患者さんに取り囲まれて、みんな自分の話をしゃべり始める。中には他の患者さんがしゃべっているのに強引に割り込んできたり、私の肩をたたいて自分のほうに向かせようとする患者さんもいる。少しよくなってくると、他の人の話が終わるまで待つことができるようになる。これは人間関係ができるようになってきたサインだ。

ひとりでいたら、自分のことだけを考えていられるから好都合かといえば、そうではない。自己顕示欲の強い人は、自分のことを賞賛してくれる他人が周りにいてくれなければ寂しくてしかたがない。

それならお互い様で、自分も他人を大事にすることを覚えればいいのだが……。それができないから、ますますつらくなるのだろう。

22 こんな「ほめ方」されて、あなたはうれしいですか?

子供のころは、誰でも自己中心的で、それをあらわに表現している。

周囲の大人は、「おお、すごいすごい。おまえが一番だ」とほめてくれる。絵を描いたといっては、まるで天才のようにほめられ、楽器を鳴らしたといっては、将来は音楽家かとちやほやされる。

子供のときはそれでいい。幼稚園や学校に通い始め、子供同士のつきあいが始まれば、その中で自然と勝ったり負けたりが出てくる。自分が天下一ではないことが、しだいにわかってくる。

ところが自己顕示欲の強い性格の人は、いまだに子供時代の気分から抜けきれていない。いや、自分が天下一でないことはわかっているのだが、そうでないようにふるまってしまう。子供のころの「天下一状態」を、なんとかして再現したい。

しかし、これは周囲に「私を子供と思って扱え」と要求しているようなものである。

普通の大人だったら、

「いやあ、すごいですねえ。あなたは世界一すばらしい！」

などといわれたらバカにされたような気になるのではないだろうか。

しかし、自己顕示欲の強い人は、こんなほめ方をされても、うれしくて小鼻をピクピクさせている。

大人が「すごいすごい」とおだてたとき、子供が「いえ、めっそうもございません」などと謙遜《けんそん》したらかわいげがない。うれしくて小鼻をふくらませて得意になっている子供がかわいいのである。しかし、大人になってからこれをやると、今度は反対にかわいげがない。人に好かれず、かわいがられない。

また、社会に出たばかりの新人のときは少しくらい生意気なことをしたり、世の中がわかっていなくて失敗しても許される。しかし、新人時代に臆病すぎて無難な行動ばかりしていたら、今度はある程度の年齢になってから困ってしまうだろう。

人間には、タイミングというものがある。めいっぱい「自己中心的」になっていいときは、素直にそうしたほうが感じがいい。そういうタイミングでないときには、自分のことは抑えて、人様に気をくばるほうが感じがいい。

23

感じのいい人は謙虚になる、謙虚になるとますます感じがいい

精神科の患者さんは、一〇〇パーセント完璧主義をめざしたために、行きづまった人が多い。自分が「一〇〇パーセント完璧人間」だと認められたいばかりに、何もしゃべれず、誰ともつきあえずに孤立してしまう。

プライドが高いばかりに、自分に「劣等部分」があることを認めるのがイヤなので、めったなことはいえず、失敗を恐れて活動もせず、その結果、自分をがんじがらめにしている。

だから、適度な劣等感はあったほうがいい。自分が完璧でないと思うからこそ、向上しようという意欲とエネルギーがわいてくるし、自分が完璧でないと思えば、他人が完璧でなくてもつきあえる。

私は講演会や船旅などで、さまざまな分野の人に会う。そのなかには、たいへんりっぱな実績と経歴を持っているのに、とても謙虚な人が大勢いるのには驚かされる。

決して偉ぶっていないのだ。

どんな分野でも、長続きする人は、だいたい謙虚だ。あなたの周囲を見渡してもそうではないだろうか。自己顕示欲が強くてイバッている人は、パーッと出て、パーッと消えてしまったりする。なぜか。

謙虚な人は、人に好かれ、助けられるから長続きする。イバる人は、嫌われ、孤立するから長続きしない。

謙虚な人は、素直に自分の劣等部分を認め、直していくから長続きする。イバる人は、自分の非を認めず、欠点をそのままにしておくので長続きしない。

謙虚な人は、もともと長続きする実力があり、自信もあるのでイバる必要はない。イバる人は、もともとそれほど実力もないのだが、その劣等感を隠そうと、かえってふんぞり返ってしまう。

謙虚な人は、自分がそれほど完璧だとは思っていないので、失敗してもまたやり直して続けていける。イバっている人は完璧主義者なので、いったんミソがつくとプライドが許さず、それまでやってきたことをやめてしまうのだ。

24 人間の最大のストレスとは？ それを取り除くには？

ユーモアは、病気の治療にも重要である。

アメリカの精神医のレイモンド・A・ムーディは、

「ユーモアが病気の治療に役立つのは、それが生きる意志を統合し、かつその表現であることによる」

といっている。また、ベルグソンもいう。

「ユーモアをもっと医学生のカリキュラムの中に組み込むといい」

つまり、病気の治療にはユーモアが必要だし、医学生にはユーモアが足りなさすぎる、と皮肉っているのだろう。

ノーマン・カズンズというジャーナリストは、膠原病《こうげんびょう》という難病から回復した記録を出版している。『笑いと治癒力』という本にその内容が書かれているが、なんと、一〇分間、腹をかかえて笑うと、少なくとも二時間は痛みを感じないで眠れたそうで

ある。笑いには鎮痛効果があるのだ。

病気になってしまった人にもこんな効果があるのだから、ましてや健康な人にとって、笑いは病気予防、健康増進に絶大な効果があるはずだ。

それに、ユーモアを楽しむには、相手が必要である。冗談をいい合う仲間、つまらないダジャレを飛ばし合い、笑い合う仲間がいなければ楽しめない。ひとりで必死にジョークを考えても、それだけではワッハッハと腹をかかえて笑えない。やはり、笑ってくれる友人がいて、笑わせてくれる友人がいるからこそだ。

つまり、ユーモアを求める人は、絶対に孤独にならない。孤独という最大のストレスを解消してくれるのだ。

「あの人はおもしろい。また会って、楽しいおしゃべりをしたい」

と思う人が、あなたの周りにもいるだろう。ユーモアセンスがあって、周りを笑いに巻き込んでくれる人は、どんなときも人から好かれる。

会うたびにイヤミや皮肉をいう人より、会うたびに笑いのあふれるおしゃべりができる人が感じがいいのは当然である。

25 その場をグッと盛り上げる、私の「スピーチ・テクニック」

講演会でしゃべるときに心がけていることを、もうひとつ。

それは、地方に行ったら、その地方のいいところをほめる、ということだ。

私は、ときどき統計局などでいろいろなデータを調べる。「ほうっ」と思うことがあれば手帳に書いておく。たとえば、岡山で講演を頼まれたら、「岡山のデータはどこかにメモしたぞ」と引っぱり出す。

岡山は白桃が実にうまい。父・茂吉の歌集にも『白桃』というタイトルがある。さて、岡山県は一日の平均日照時間が全国でトップである。だから果物がなんでもうまいのだろう。これを具体的な数字のデータをあげて説明し、

「岡山県は天下の桃源郷ですな」

とうらやましがる。また、岡山県は美術館の数が全国でナンバー3。人口一〇万人あたりの喫茶店の数は日本一である。

「岡山のみなさんが他人とのコミュニケーションがどんなにいいか、喫茶店の数の多さでわかりますね」

ちょっとしたことだが、地元のみなさんに喜んでいただきたい、という気持ちである。また、その土地に着いてタクシーに乗ったら、まず運転手さんに聞くことがある。

「みんながよく飲んでいる地酒の名前を二つ三つ教えてください」

「○○桜が一番人気がありますよ」

と聞くと、すぐ手帳に書く。そして講演会で、

「今日のお客さんは、みなさんお元気そうですね。○○桜を飲んでいるせいでしょうか」

というと、ワッと笑いが起きて会場が一体になる。その土地の人にはなじみの酒だ。その名前を私が知っていれば、グッと親近感がわく。

もちろん、講演会が終われば、地元ならではのおいしい料理に、○○桜をいただくのが私の楽しみである。そのためにまっさきに聞くという動機もあるのだが——。

26

「一見、いい人」がしだいに敬遠されていく理由

生きていれば、うっかり悪いことをすることもある。

そんなつもりはなかったのに迷惑をかけていることもある。自分の個性やクセが、ある人には気に入らずにイライラさせているかもしれない。

これはしかたのないことで、自分だけきれいさっぱり非の打ちどころもなく生きているわけはない。人というのは、ときどきは「ああ、まずいことしちゃったな」と反省しながら生きていけばよいのである。

反省深い人は、一見、いい人だ。少なくとも、何でも人のせいにする人ほど憎まれない。けれども、反省深い人イコール感じのいい人ともいえない。何でもかんでも他人のせいにする人と、何でもかんでも自分が悪いと思う人は、どちらも周囲を困らせる。どちらも「本当の反省」ができない人だ。

自分が反省しなくてよいところまで範囲を広げて反省してしまうのは、やりすぎで

ある。悪いことをしたわけでもないのに勝手に反省されたら、周りも困ってしまう。

「いえ、あなたは何も悪くないのですよ」

といっても、

「いえいえ、私がこれこれしたばっかりに……」

と、自分の悪いところをあれこれ見つけ出して申し訳なさそうに謝る。そんなに早手回しに反省するのはフライングというものではないか。

また、こういう人は、反省浅い人と凸凹コンビになりやすい。片方が反省を受け持ってしまうので、反省浅い人は、ますます反省しない。こんな夫婦をたまに見かける。一方は絶対に「ごめんなさい」のひと言をいわない頑固者。その横で申し訳なさそうに、「すみません、すみません、うちの主人はこれこれで……」と謝ってばかりいる奥さん。

長年の間にこういうスタイルができあがってしまうのだろうが、いい大人なのだから、「自分で謝りなさい。奥さんは悪くありません」といいたくなる。子供のころ、「自分のことは自分でしましょう」といわれたものだが、反省もまた同じなのだ。

27 人は「思い知る」ことで人間的魅力が増えていく

無神経・鈍感で「とても感じがいい」ということはありえない。

感じのいい人は、人一倍敏感で察しがいいし、他人の心の痛みを感じることができる、想像力の豊かな人だ。

自分の痛みに鈍感なら、他人の痛みにも鈍感になる。なぐられても痛くもかゆくもないという人は、他人をなぐってもなんとも思わないだろう。ケガをして「痛い！」と感じる心があるからこそ、傷ついた人を「だいじょうぶですか？」といたわる気持ちが生まれる。相手にケガをさせないように気をつけようという気持ちも生まれる。

ある男性が、つきあっている女性の父親に、「娘は東大出の男でなければ嫁にやれない」といって結婚に反対された。その男性は東大出身ではないが、いわゆる「有名な」大学を卒業している。それまでは東大にコンプレックスなどまったくなかった。

ところが、父親にそうやって反対されているうちに、「東大」というものに妙なこ

にだわりが生まれてしまった。東大出身の男性に会うと、その人には何の罪もないのに腹が立つ。自分がその人より劣った人間のようにさえ思えてくる。

そして彼は、はたと思ったそうだ。

「自分は、いままで学歴によって他人を差別しているつもりはなかったし、学歴の高低など関係ないじゃないか、と単純に思っていた。しかしそれは、自分が有名大学を卒業しているおかげで、痛みを味わう経験がなかったからではないか。気づかぬうちに相手に不快な思いをさせたことがあったかもしれない」

自分自身がこんな目にあって初めて、他人の身になって想像することができたのだ。いろいろな経験をして、さまざまな痛みを味わうことは、決してムダにはならない。そのたびに他人の痛みを想像し、共感できるようになるのだろう。この青年は、いままでも学歴によって他人をバカにしていたわけでは決してない。だから、その態度や行動は、これからも特に変わらないだろう。

けれども、いままで知らなかった痛みをひとつ体験したことで、彼は何かが少し変わったようだ。目には見えないが、魅力や包容力が増したように思えるのだ。

こんな経験が、「感じのよさ」へつながっていくのではないか。

28 「傷つくこと」にやたら敏感すぎる人、鈍感すぎる人

頭をなぐられたらどれだけ痛いか、ナイフで傷つけられたらどれだけ痛いか。

これは経験してみないことには実感できない。

最近の子供たちは、小さいときになぐり合いのケンカなどしないので、なぐったりなぐられたりの痛みがわからない。そこで、爆発したときには限度を超えた暴力をふるい、他人に痛みを与えることを何とも思わない傾向があるという。

また、昔は子供もナイフで鉛筆を削ってケガをしたりしたが、最近の道具はなんでも便利で安全、めったなことではケガをしない。ケガをするチャンスがない。

そこで、なぐり合いのケンカでお互いに痛い思いをしたあとで仲直りしたり、多少のケガをして傷ついてもまた治っていく、という体験に欠けている。

そんなせいか、「傷つく」「痛み」ということに関して、敏感すぎたり、鈍感すぎたりする人が増えている印象を受ける。

傷ついて治して元気になって、また傷ついて——人間は死ぬまでこの繰り返しだ。

しかし、傷つかないように傷つかないように……と、傷つくことを必要以上に恐れて人間関係を持てなかったりする。そうかと思うと、赤ん坊のように怖いもの知らずでやりたいほうだい、他人を傷つけて平気だったりする。

自分の痛みにばかり目を向けていないで、自分の痛みを通して他人の痛みにも気づいてほしい。

しかし、他人に共感するために、何でもかんでも痛みを経験するべし、というのではない。それでは、子供を失った人の悲しみを分かち合うためには、わが子が死ななければならないことになってしまう。

ひとりの人間には、すべての悲しみや痛みはわからない。他人の痛みは、想像することはできても、一〇〇パーセントわかるわけではない。

とはいえ、それは「孤独」ではない。お互いに、他人のことがわからないからこそ、相手を理解しようと努力し、相手の痛みを想像する。そこに「思いやり」が生まれる。

「私は人の心の痛みは完全にはわからない」ことを知っている人こそ、「感じのいい人」といわれるのではないだろうか。

29

「また始まった……」
――だから「批判屋」は嫌われる

「批判好きな人」。これは私も大の苦手だ。

その人にとって、すべての他人と世の中のできごとは批判の対象になるらしく、口を開けば何かの批判をしている。政治、経済、芸術から同僚の仕事ぶり、異性、食べ物まで、話題を向ければ、たちまちのうちに、みごとに批判してくれる。

欠点のない人はいないし、完璧なことはない。どんなことにも、批判しようと思えばタネはある。だから、批判屋さんの批判はたしかに正しい。ごもっともである。

しかし、私はこういう人といっしょに食事をしたくないし、なるべくなら共に時間をすごすのはかんべんしてもらいたい。聞き苦しく、息苦しい。イヤなこととキライなことだらけでは、人生がつまらなくなる。

だいいち、これだけ批判が上手であれば、もちろん私も批判の対象に入っているに違いない。きっと、他のところでは私の批判をしているのだろう。気の弱い私は、こ

ういう人と親しくおつきあい願いたいとは思えないのである。

これに反して、他人のいいところ、ものごとのよい面を見ている人は、いっしょにいても気持ちがいい。おしゃべりも楽しく、食事を共にしても食欲が進む。

こういう人が、たまに批判をすると、ピシッと引きしまる。めったに怒ったり悪いことをいわないだけに、重みが感じられるのだ。

「これは心して聞かなければ」

と思わせる。批判屋さんの批判が、

「ああ、またいってるよ、うるさいなあ」

と、耳に栓をされるのとは大違いだ。

甘みの中にちょっとだけ塩を入れると、甘みが引き立つ。これと同じではないだろうか。塩も身体に必要だが、塩ばかりなめさせられたのではたまったものではない。

また、甘いばかりでもダメだ。

感じのいい人は、ものごとの悪い面にも目をつぶらず、ちゃんと見ている。しかし、ふだんはいいほうに注目して前面に押し出す。そして、ときにチラッと意見をいって、ピリッと引きしめるのである。

30 「そういうあなたはどうなんだ?」が悪循環を生む

批判屋さんは、自分のことに関しては言い訳が多い。

批判屋さんに対して批判をしようものなら猛然と反論し、「そういうキミはどうなんだ」と相手の批判をし、自分を防衛する。心の中では、他人の批判が「あたっている」と考えていても、いつもりっぱな批判を繰り広げている手前、なかなか認められないのかもしれない。

過剰な攻撃と過剰な防衛はセットになっている。自分が核爆弾を持っていれば、自分のほうも相手の核爆弾に備えた防衛をしたくなるのだろう。

過剰な自己防衛をする人は、つきあいにくい。ちょっとした軽口が、ものすごい批判に受けとめられてしまったり、関係ないことまで言い訳したり、必要のない場所で戦車に乗っているようなものだ。

これでは、つきあおうと思ってもつきあえない。その鎧をぬいだら、とてもナイー

ブでやさしい人なのかもしれないが、批判と防衛でかためているのだから、「心のふれ合い」などできっこない。

お互いに防衛を解くためには、お互いに「批判」というトゲを引っ込める必要があるのだが、防衛心の強い人は、トゲを引っ込めたら攻撃されるのではないかとビクビクして、自分からはなかなかできない。臆病である。そこでバンバンと批判という弾を撃ち続けて相手の反応をうかがっている。批判屋さんの批判は、安心してだいじょうぶな相手かどうか、値ぶみしている弾でもあるのだ。

また、こうもいえる。批判屋さんというのは、自分の価値観に強いこだわりを持っていると思いがちだが、意外に逆のケースが多いということだ。自分なりの価値観が確立されていないからこそ、あれもこれもと、その場その場で口をとんがらせているのではないか。自分なりの価値観が確立されている人は、批判などあまりしないものだ。相手の価値観もまた認めているからである。

批判屋さんの人生は、さぞ寂しいことだろう。自分から防衛をゆるめて、幅広く人とつきあえる人。やはり、こういう人が感じがいいのだ。

31 何をするにも、「人の自然な感情」を常に計算せよ

ある知り合いから聞いた話である。

仕事相手にAさんという男性がいるのだが、彼は「約束を守る」ということがまったくできない。たとえば、

「×月×日×時に、どこそこでお会いして、○○の件を打ち合わせましょう」

と約束をする。ところが、当日、三〇分待っても一時間待ってもやってこない。電話してもつかまらない。どうしたことかと心配し、数時間をムダにし、何の連絡もないので不快な気分になって帰る。

あとでようやくつかまったAさんに事情を聞くと、何かしら言い訳をするのだが、どうもはっきりしない答えだ。しかし、長年Aさんとつきあううちに、これがAさんのスタイルであることがわかってきた。Aさんはよく、こんな説を披露するそうだ。

「現代人は、決まった時間に電車に乗り、決まった時間に仕事をする生活で、自然な

感情を失っている。今日はなんだか仕事をしたくないなあ、という感情をもっと大切にするべきだ。なんだか行きたくなくて出張をとりやめたら、乗る予定だった飛行機が落ちたという人もいる。こういう直感を失ってはいけない」

たしかに現代人の生活は無理なところも多く、自然な感情を失っている人が多いかもしれない。しかし、しばしば約束をすっぽかされて、怒り心頭の相手の「自然な感情」はどうなるのか。

信じられないことだが、Aさんには、他人も自分と同じく感情を持つ人間だということがまるでわからないようだ。

Aさんが「直感に従って」約束をとりやめるたびに飛行機が落ちているわけでもあるまい。社会のルールや、相手との約束を守るという「自然な理性」も大切である。

子供っぽいわがままを正当化するために、こんな不自然な理屈をこねまわすAさんは明らかにおかしいのである。

「人との約束はきちんと守ろう」という、まるで小学校で教えるような話になってしまった。しかし、あたりまえのことがあたりまえにできるというのは、感じのいい人の条件だ。これを忘れないでほしいのだ。

32 こんな「感じのいい習慣」は、いつの間にか周りに伝播する

前項の、約束破り常習犯のAさんは、責められるとしばしば外国の話を持ち出すそうだ。

「こんなに約束や時間に厳しいのは日本だけだ。外国では電車の発車時刻も適当だし、約束時間に相手が現れないこともよくある。日本人ももっとおおらかになるべきだ」

しかし、残念ながらここは日本である。電車は分刻みできちんきちんと発車する。融通がきかないなどの欠点もあるだろうが、私は美点だと思う。

「郷に入っては郷に従え」という。外国に行けば、またその国なりの慣習があるから、それに合わせて気をつける。ときには、その国のやり方についていけずにイライラしたりすることもある。しかし、その国の人たちに向かって、

「キミたちは、もっと日本方式でやるべきだ！」

と説教することはできない。

しかし、Aさんのやっていることは、まさにそれである。ずいぶんバカバカしいのだが、こんな壮大な試みに挑戦をしている人は意外に多いものだ。

もちろん挫折の繰り返しなので、不平不満だらけだ。「周囲の人間は何もわかっていないバカものどもだ」と、嘆かわしい気持ちで毎日を生きることになる。いっそお気に入りの外国に移住したらいいと思うのだが……。

私も外国の慣習を見ていると、「ああ、これはすばらしい」と思うことがある。いいなと思うことは、話したり書いたりして紹介する。日本でも多くの人が「それはいい」と受け入れられることであれば、自然に広まる。

最近では、エスカレーターや動く歩道に乗るとき、急いでいる人のために片側を空ける習慣がずいぶん見られるようになった。また、数個並んでいるトイレや公衆電話に並ぶとき、ひとつの列をつくって、空いたところへ順番に行く「フォーク方式」も広まった。実は、これらは、もともとは日本にはなかった習慣なのだ。

みんなのメリットになることは広まるようだが、Aさんひとりのわがままを広めるために外国のやり方を盾にしようと思っても無理である。日本に生まれてしまったAさんに、ひそかに同情を申し上げる。

33

「弱い立場」を逆手に取る人は、いつまでたっても弱いまま

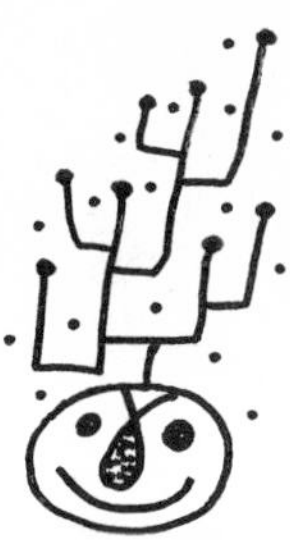

あるとき、二〇歳になったばかりの青年に、成人した感想を聞いてみた。すると、「いままでの私は子供の立場で、大人に守ってもらっていたと思う。これからは、自分が後輩たちを守ったり面倒を見ようと、あらためてそう思いました」

私は、「この青年はいいなあ」と、行く末を頼もしく感じた。

「未成年」「子供」というのは、保護される立場だ。守られながら成人したら、今度は自分が保護する立場になる。この自覚に欠けている人も多い。いい大人になっても、まだ親に保護されたり、守ってくれない親に恨みつらみをぶつけるケースもよく聞く。

巣の中でピィピィと鳴いている小鳥たちに、親鳥はエサを運んでくる。そして、巣立っていった鳥たちは、今度は自分の巣づくりをし、子供を産み育てる。これは自然の風景である。

もしも図体のでかい鳥が、小さな巣の中にデンと陣取って「ピィピィ」とくちばし

を開けて待っているのを見たら、あなたはどんな印象を持つだろうか。そして、こんな、身体だけ成長した「小鳥」たちが増え、森の中のどの巣でもピーチクパーチクさえずっていたら……私はこの光景を想像するとゾッとする。

人間社会がこんなありさまになってほしくない。大人は大人として行動し、子供を守り、社会的に弱い立場の人たちを守る。保護されるほうは感謝し、立場が変われば、今度は自分が守る。やかましくおねだりばかりするのは、見ていて気持ちのいいものではない。

また、「子供」であることを盾に取って、自分に有利に保護してもらおう、というのも見苦しい。犯罪を犯した少年の中には、「未成年だから、いまのうちなら悪いことをしても顔も名前も出ない」などという者もいるそうだ。

こんな人物がこのまま大人になったら、「私が守ろう」どころか、弱い立場を主張して、利用するような大人になってしまうのではないだろうか。

「私は、いままで守ってもらっていた温かい巣からはもう出ていきます。これからは、私が温かい巣をつくりますよ」

こういえる大人に、ひとりでも増えてほしい。

34 こんな余分な力みが、相手に余分な気を使わせている

前項から続く。

では巣から飛び立った「大人」は「強者」なのかというと、そういうわけではない。もっと強い猛禽類《もうきんるい》や猛獣に襲われる危険はいっぱいあるし、小鳥たちに十分なエサを集めることができない日もある。大自然の中で、食ったり食われたり、失敗すればあっけなく死んでいくのだから、ちっぽけなものである。

いつまでも巣の中にいると、こういう経験がない。何しろ、小さな巣の中ででかい図体だ。自分が「大きな存在」だとカン違いしてしまう。

子供のころは、こういうイバリん坊の子がクラスにひとりはいたものだ。しかし、社会に出てからも、このタイプの人を見かけることがある。たとえば精神科の重症の患者さんの中には、自分が「神様だ」と信じ込んでいる人がいる。

人間は、自分なりの眼鏡で世の中や自分を見ているが、その眼鏡の屈折率が大きす

ぎたり、ゆがみが激しいと、他人と歩調を合わせていくのがむずかしい。「私は神様だ」といわれても、普通の人はなかなか「はいそうですか」とつきあってくれない。精神科医だって、「やあ、そうでしたか」と同調するのは、なかなかたいへんである。屈折率の激しくない人は、自分の能力や性格などを、だいたい正しく把握している。余分に力んでいないので、無理がなく、ラクである。こちらもよけいな力を使わずにすむ。

感じのいい人は、世の中や自分を見る目に、ゆがみ、ひがみ、屈折、拡大などが少ないといえそうだ。

あまりにゆがみが激しいと、「自分には何でもできるんだ!」と意気揚々と巣から出て行って、いきなり猛獣に挑戦してこてんぱんにやっつけられてしまう。そこですごすごと巣の中へ戻ってきて、安心な巣の中で死ぬまでイバる……ということにならないようにしたいものだ。

何もわざわざ猛獣に挑戦しなくても、巣をつくって、毎日、小鳥にエサを運ぶだけだってたいへんな挑戦だ。

感じのいい人は、そういうあたりまえのことに絶えず挑戦をしている。

35

心から信頼できる仲間がいる人は、それだけで魅力的

感じのいい人は、弱い立場の人を守ろうという気持ちを持っているが、自分自身もたくさんの人に守られている。

盲導犬を育てるには、まず普通の家庭に預け、愛情を注ぎ、たっぷりかわいがってやるそうだ。そしてある程度大きくなったら、施設で訓練に入る。温かい愛情を注がれ、人間との間に信頼関係ができている犬でなければ、視力障害者とのパートナー関係が築けないのだそうだ。

テレビで、人間に傷つけられ、身体が不自由になった猫を見たことがある。その猫は非常に人間を恐れ、エサをやろうとする人にさえ近寄らず、遠くへ逃げて隠れていた。この猫の心をほぐし、「近づいてもだいじょうぶだ」と安心させるのは、一生できないのかもしれない。

人間も同じだ。自分自身が愛情に恵まれ、温かい人間関係に囲まれ、たくさんの人

に守られていると感じてこそ、他人を愛することができる。信頼関係をどんどん増やしていけるのである。

だいぶ前のことだが、日本海でロシア船のタンカーが事故を起こして重油が流れ出したことがあった。あのとき、たくさんのボランティアが集まった。その光景をニュースで見ると、「ああ、日本は豊かなのだなあ」と改めて感じた。困っている他人を助けようという気持ちがわいてくるのは、ごく自然で健康的なことだが、もし、いつも周囲に冷たくされ、バカにされ、裏切られ、いじわるをされていたら……誰が他人を助けようなどと思うだろうか。

自分が困ったときに助けられた経験があるから、「お互いさま」の気持ちが生まれる。自分がいつも他人によくしてもらっていると感じるから、私も何かお役に立ちたい、と思うのだろう。

あなたの他人への行動や態度ひとつで、視力障害者のパートナーとなれる愛情深い犬を育てることができる。人を信頼できず、愛情を拒否し、ひとりぼっちを選ぶ猫をつくってしまうこともできる。あなたはどちらになりたいですか。

36 極意1——繊細に感じ取り、ちょっと鷹揚に接する

無神経というのは、考えてみると恐ろしい言葉だ。

「無」「神経」……つまり、神経が無いというのである。「鈍感」はまだ「感覚が鈍い」くらいで許されているが、無神経となると、もう人間性を否定しているようなものだ。

あまりにも無神経な人物からは、自然と人は離れていく。何しろ神経がないのだから、「こいつに何をいってもムダだ」とほうっておかれる。

一方、無神経な人は誰も何もいってくれないので、さらに「神経が無くなって」いく。このように両極端に分かれていくもののようだ。

それでは、無神経な人は本当に神経が無いのか。決してそうではない。むしろ、自分の痛みには人一倍敏感だったり、他人の無神経ぶりには激怒したりする。また、神経が鋭敏すぎて、異常に神経質な人も困る。

たとえば、ピアノの音がうるさいといって隣人を殺してしまった事件があった。こ

の犯人は非常に神経質で、風呂の音や人の声など、生活音が聞こえるのをイヤがった。自分自身も絶対に音を外へもらさないように気を使っていたという。

夜間に大きな音をたてないなどのマナーは当然だが、度を越している。こういう人も、いつのまにか人が離れて孤立する。孤立すれば、隣り近所との人間関係がないから、よけいに「他人の音」が騒音に聞こえてしまうということなのだろう。

「まったく、どうしてどいつもこいつも、こう無神経なんだ！」

とカリカリしていたら、自分のほうが神経質すぎるということもあるので、「ほどほど」というのはむずかしい。

一番すばらしいのは、さまざまなことを繊細に感じ取りながら、他人には神経質すぎずに鷹揚に接する。無神経ではないが、神経質でもない。こういう人が感じがいいといえる。しかし、そこまで人間が練れるのは、一朝一夕では無理である。

あまり孤立せず、少数の決まった人とばかりつきあわず、たくさんのバラエティに富んだ人とつきあうこと。知らず知らずのうちに偏らなくなってくるはずだ。

37 極意2――気軽につきあい、疑う知性も忘れない

「感じのいい人」は、察しがいい。

相手が何を望んでいるかを、微妙な言葉の端々、ささいな態度の中に読み取る。すべてをいわなくとも、それとなく察して取り計らってくれるのだから、とても気持ちがいい。

特に、相手がいいにくいこと、お互いにはっきり言葉に出さないほうがいい場合には、この「察しのよさ」がとても重要な長所となる。

しかし、これもやりすぎは禁物だ。何でもかんでも、「この人は、こうしたいのだろう」と察して望みどおりにしていたら、相手は健全な社会生活ができなくなる。自分の望みや主張を口に出してはいえない人間になる。察してくれないと何もできず、察しの悪い相手を非難するという困った人間になる。

赤ん坊が泣いてもわめいてもほったらかしにしている母親がいる。赤ん坊が何を望

んでいるのかを察しようともしない。こういう母親に育てられると、のちに子供に問題が起こることが多い。言葉を持たない赤ん坊だから、母親は察することが必要なのである。

しかし、子供もある程度大きくなったら、あまり先回りするのはひかえたほうがよい。察しのよすぎる親は、子供が自分で望みを主張する機会を奪っている。

相手が大人でも、このバランス感覚は大切だ。ラクなほうへ流される人は多い。赤ん坊扱いで、あれこれ察しよく手配してくれる人がいれば、つい、感じのいい人だと好意を持って頼る。これを続けていたら、周囲は赤ん坊だらけになるだろう。

また、自分では察しているつもりでも、見当違いのこともある。お互いに「察し合い」でコトが進んでしまったら、いつまでも修正されない。よくあることだが、両者がお互いに「つもり」でつきあい、大きなトラブルに発展する。あなたも、一度や二度はそんな体験をしているはずだ。

「あの人はこう思っているような気がする。しかし、これは自分の勝手な想像で、全然違っているかもしれない」……こう保留する余地がなければならない。自分の「察し」をあまり信じ込まない、自分の想像を「事実」と取り違えないことが肝要だ。

38 こんな「ドライな心」も一つ持っておきなさい

察しがよすぎて、フライング気味の人もイヤな感じだ。

相手の質問が終わらないうちに、「ああ、それは……」と話し始める。相手の答えが終わらないうちに、「こういうことですね」と先走ってまとめてしまう。AさんがBさんに質問したことを、「Bさんはこう思ってるんですよ。そうでしょ、ね？」とBさんに代わって答える。これはよろしくない。「キミたち、頭の回転がのろいなあ」といわれているような気分にもなる。もう少し歩調を合わせてほしいのである。

「察しがよい」というのは、他人との共感力が高いということだ。ところが、この長所は、他人も自分もみんないっしょくたにしてしまう、という欠点にもつながる。

もちろん、他人との一体感をまったく感じることができないのは寂しい。周囲の人たちと同じ気持ちを共有し、同じ体験を分かち合いたいものだ。

ところが、一方では、〝私は他の人とは違う〟ユニークな個性を持った人間である

と主張することも大切なことだ。子供が大きくなってきたら、「ボクはおかあさんとは違うんだ」ということを主張するようになる。わざと親のいうことに反抗する。そうやって、自分がおとうさん、おかあさんとは別の人間だということを主張するのは自然な成長過程だ。

大人になっても、他人との違いは大切だ。同時に、他人との共感も大切だ。そのどちらかだけでは生きていけない。他人に自分の気持ちをわかってもらえないのは寂しいことだが、だからといって、自分の考えていることをなんでもピタリといい当てられたら、気持ちが悪くてつきあえないだろう。

昔話に、人が思ったことをすべて読んでしまう化け物がいたが、これでは誰だって逃げ出したくなる。

「あなたはこうなのよ、ね?」と、やたらに他人の気持ちに理解のある人が、うっとうしく、けむたがられるのは、こういう理由によるからだろう。

感じのいい人は、他人との共感力が高いが、「他人は他人」とわりきるドライさも持っている。

39

わが家の憲法第一条
――「つかず離れず侵入せず」

わが家は現在、息子夫婦や娘たちと同じ敷地に並んで建っている。孫も六人いる。それぞれの家は別個で、同居ではないが、みんなお隣りさん同士だ。お隣りさんだが、他人ではなく、親子であり、家族の関係である。

距離が近いし、「他人は他人」とわりきるのがむずかしい。ここへ引っ越してきてだいぶたったが、その間にはさまざまなことがあった。その経験をふまえて「わが家の憲法」をつくったので紹介しよう。

まず第一条は、「つかず離れず侵入せず」。

人間には誰にでも、自分を守るためのトゲがある。相手の気持ちを考えながら、少しずつ体を寄せ合い、お互いのトゲで傷つけ合わないちょうどいい距離でつきあっていかなければならない。これが上手にできるのが、感じのいい人だ。

親子関係といえども同じこと。よその家庭にあまり侵入してはうまくいかない。た

とえば、隣の家の庭にずいぶん雑草が生えていたとする。

「汚いなあ。早く刈ってよ」

これは絶対にやってはいけない。その家では、今度の日曜日にみんなで庭掃除をしようと計画しているところかもしれない。その前に人様にいわれたら不愉快である。

隣の家の庭が少々汚くてもほうっておけばよいのだ。そのうちキレイになる。

また、突然の夕立になったとき、洗濯物が雨に濡れている。いても立ってもいられず「雨が降ってきたわよ。早く取り込みなさい」という。

しかし、これも考えものだ。こちらは親切のつもりでも、向こうはどう思うだろうか。嫁は「いつも姑に監視されている」ような気分になるだろう。「やっぱり隣り同士に住むのは気が重い」と感じるかもしれない。

近い関係だからこそ、つい気軽にいいそうになるところを、「他人のうちは他人のうち」とグッとこらえる。いいたいのをがまんする。実際の親子関係でも、嫁姑関係でも、距離を取ったほうがずっとうまくいく。ベタッとしないほうが仲良くやっていけるのだ。

40 わが家の憲法第二条
――「頼りすぎず頼られすぎない」

わが家の憲法第二条は、「他人をアテにするな」。

秋になると、わが家には必ずどこかの学校から電話がかかってくる。

「学園祭で斎藤茂吉さんの歌を使いたいのですが、よろしいでしょうか？」

という電話である。ここまではいいのだ。ところがそのあと、

「○○の歌は、何という歌集に出ていますか」

と聞かれる。私に聞けば何でも知っていると思っている。たちどころに答えてくれて一件落着と思うのかもしれないが、そうは問屋がおろさない。私だって、父のどの歌がどの歌集に載っているのかまで、いちいち知らない。もちろん調べればわかることだが、私もそこまで親切ではない。

「図書館に行けば茂吉の歌集があるでしょうから、自分でお調べなさい」

という。電話の向こうの生徒さんは私を冷たいと思うかもしれないが、私にしてみ

れば、その生徒のほうが、安直でなれなれしいように思うが、どうだろうか。

現在の場所へ引っ越してきた最初のころは、ある嫁が、わりあい気楽に、

「ちょっとお砂糖貸してください」

とやっていた。ちょっとしたことだが、相手には相手の都合がある。そっちの家でも砂糖の残りが少なくて、今晩のおかずに使うつもりかもしれない。距離が近いだけに、たかが砂糖くらいのことで「ノー」というのも気まずく、いいにくい。私が「これはよくない」とわが家の憲法にしたので、いまはお互いにこういうことはない。

ひとりひとりが自分でできることを自力でやっているほうが、つきあいもスムーズで、よけいな気を使わないのだ。

そして、「スープのさめない距離」に住んでいるからこそ、助けられたこともある。妻が胃潰瘍《いかいよう》で入院したとき、嫁たちが代わるがわる夕食を運んでくれた。毎日、和食、洋食、中華料理と楽しませてくれた。

自力でできることはなるべく自分でやり、困ったときには助け合う。これが適切にできる人は感じがいい。

41 〝一定の距離を保つ〟のは、一つの「心のマナー」です

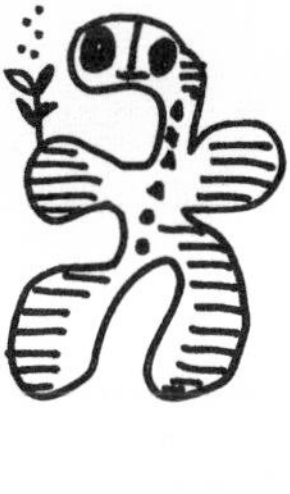

あるとき、孫が出かけるところに、ちょうど親類の人がやってきて、玄関口でばったり会った。

「あら、どこへ行くの？」

「○○まで出かけます」

ここまではいい。

「○○のどこへ？　何をしに行くの？」

これはよけいなお世話だ。

この人は、久しぶりに孫と会って、少しは会話もしたい、サービスもしたいという気持ちで、悪気はないだろう。

しかし、孫のほうから考えたらどうか。ガールフレンドとデートかもしれないし、悪友と遊びに行くのかもしれない。そのくらい、いちいち詮索《せんさく》されずに、自分の自由

にしたいではないか。

近所づき合いでも同じだ。マンションの前で顔を合わせる。スーパーで買い物しているときや、公園で子供を遊ばせているとき、近所の人と出会う。そのとき、あいさつをして親しく会話をし、ご近所のネットワークをつくっていくのはいいことだ。しかし、あまり他の家庭の事情に入り込んではいけない。

「あそこのご主人はこうらしいわよ」

「あら、この間、夜こっそり出かけるのを見たわ」

「今度、聞いてみましょうよ」

などと、よけいな詮索はしないこと。そういうくっついた人間関係がイヤなあまりに、近所づき合いをしたくないという人もいる。

近所づき合いは大切なものだ。だからこそ、一定の距離を保って、お互い気持ちよくつきあえるマナーを身につけたい。決して土足でズカズカと相手に踏み込むようなことはしない。それが、「親しき仲にも礼儀あり」ということだ。こういう人が、近くにいても感じよくつきあえる人だ。

42 親しい人にこそ、ちょっとオーバー気味に「距離」を取れ

電車の中では、すいているときには、みんなお互い少し離れて、一定の距離を保っている。席も、混んでいるときは詰め合って座るが、ガラガラだったら人から離れたところに座るだろう。空いている席がたくさんあるのに、誰かの隣にベタッと座ったら、少し変な人だなと思われる。

実験してごらんなさい。混んでもいないホームで、立っている人のすぐ近くに立ったら、その人は自然と距離を取って、あなたから離れるだろう。人と人には、ちょうど気持ちのよい距離というものがある。だから、近くに住む人、お隣さん同士などは、よくよく「距離を保つ」ことに気をくばらなくてはならない。

ところが、距離が遠い場合は逆に、コミュニケーションが絶えないように気をくばることが必要だ。

わが家では、隣り合って住むようになる前は、何かしら用事をつくって、月に一回、

二回は息子夫婦や孫たちを集めていた。そうでないと、顔を合わせることがなく、疎遠になってしまう。毎日顔を合わせない関係なら、たまには電話で近況を報告し合ったり、会う用事をつくるほうがいい関係が続くだろう。

また、親子関係のように、もともとベタッとなりやすい関係は、「他人は他人」と距離を取ることを意識したほうがうまくいく。反対に、講演会で初めて会うような人には、「私も同じ酒好きの人間ですよ」と、なるべく距離をくっつけることを意識する。

男女関係も、最初はふたりの共通点を見出し、距離を近づけることに努力する。そのうち、夫婦になってひとつ屋根の下に住むようになったら、必要以上に相手に踏み込まない。夫婦といえども、何をいってもいいことにはならない。

「夫婦だから一心同体」という感覚は大切だろう。しかし一方で、「夫婦といえども元は他人」という感覚も大切である。どちらかに偏ることなく、二つの価値観を併用し、その場その場で使い分けてほしい。関係のあり方を幅広く考えることによって、夫婦というのはうまくこなれていく。

「気持ちのよい距離」を感覚的に身につけて、上手に保てるようになりたいものだ。

43

たかが趣味――それくらい大目にみてはどうですか？

Dさんは、山歩きが趣味だ。

会社の同僚で同じ趣味の仲間と、あちこちの山へ登っている。結婚した当初は奥さんも誘ったが、あまり興味がないというので強く誘うのはやめていた。人にはそれぞれに趣味があるのだから、夫婦といっても、それぞれに好きなことをする時間があってもいい。

奥さんも、Dさんに、「山歩きに絶対行ってはいけない」とまではいわない。しかし、何かとイヤミをいわれることに、Dさんは閉口している。

「今日はどこへ登ったの？」

「○○の××山だよ」

「へぇー、○○。あそこは行ったことがあるけど、食べ物はおいしくないし、つまらないところよね。それで、いくらかかったの？」

「今日は駅から山の入り口までタクシーで行ったので、△△円くらいかかったよ」

「お金のかかる遊びねえ。また上司の○×さんたちもいっしょなの?」

「そうだよ……」

「いやぁねえ、中年男が集まって、元気なふりしちゃって。想像がつくわ」

せっかく楽しい山歩きで、日ごろの疲れを癒《いや》し、ストレス発散して帰ってきたDさんの気分は台なしだ。最近では、山歩きの計画を立てるたびに、「また何か文句をいうのだろう」とイヤな気持ちになるという。

人にはさまざまな好みがある。必ずしも同じ趣味を持たなくてもいいが、人の趣味にケチをつけるのはやめたほうがよい。たかが趣味、されど趣味である。その人が楽しんでやっていることだ。

趣味の話は、人間関係の潤滑油である。「楽しそうですね」「それはいいご趣味ですね」のひと言でよい。けなすのだけはやめておくこと。

私は飛行機が大好きだ。家内はその趣味を理解してくれているのでありがたい。長年のうちに、コレクションに協力もしてくれるようにもなった。

こんな関係のほうが、ずっと感じがいいではないか。

44 そういう「こだわり」が、周りは窮屈でしかたない

山歩きの話でもうひとつ。

あるとき、Dさんは簡単なハイキングコースを歩いてからバーベキュー・パーティをやろうという計画で、メンバーをつのった。

秋晴れの気持ちのいい一日だった。ふだんはデスクに向かってばかりだから、二時間も歩くと、すっかり汗をかいて、お腹もすく。さあ、バーベキューだ。用意した鉄板を組み立て、野菜をザクザクと切り始めた、そのときだ。

「あー、ダメダメダメ、そんなんじゃあ」

Eさんという男性だった。

「キミたち、何でも適当に切って塩とコショウで炒めればいいと思っているんだろう。そんなの料理じゃないよ」

そして、キャベツの切り方、玉ネギの切り方など、Eさんの「料理指導」が始まっ

た。その上、「うんちく」が長い。肉はどうの、火力がどうの、包丁の持ち方が違うだの……一瞬のうちに「グルメ教室」と化してしまった。

体を動かして、お腹をすかせて、おいしい空気の中で食べる食事だ。何だってうまい。コンビニのおにぎりだって、菓子パンだって、涙が出るほどうまいのだ。もちろん、きちんとしたレストランで食べる料理はまた別である。しかし、山の中のバーベキューには、また、そのおいしさがある。それでも、せっかくEさんがはりきって指導してくれているのに、「おまえは黙って座ってろ」というほど、メンバーは失礼ではなかった。せっかくの楽しい一日である。雰囲気をぶちこわしたくはない。

「ああ、Eさんのおかげで、今日はおいしい焼き肉が食べられた」

「私たちだけだったら、ただジャージャーと炒めるだけですよ」

とEさん以外のメンバーは、なかなか「感じのいい人」である。

「まあ、この程度のディレクションなら、いつでもお役に立ちますよ」

とEさんは得意そうなのだが、そういう人であるがゆえに、次回、Eさんを誘うことには気が重い。さて、どうしたものか……と思案深げである。Eさんひとりだけが、はしゃいでいるのだが……気をつけたい。

45

「何気ないサービス精神」が不思議と人の心をひきつける

他人への気持ちのよいサービスができる人は人間通である。気持ちのよいサービスとは、相手の心の負担にならないサービスだ。しかし、自分が「サービス精神にあふれている」ことを自慢したり、他人に「サービス精神が足りない」ことを批判する人はうっとうしい。

Fさんは、自分がいかに人の気持ちをつかむのがうまく、サービス精神を持った人間であるかを、とくとくとアピールする。「また始まった」と聞き流していると怒る。だから、みんな黙って聞く。周囲の人は、Fさんに対して最大限のサービス精神を発揮しているのである。

ある日、学生時代のサークルの後輩が結婚して、その披露宴に出席した帰りのこと。Fさんは、その披露宴のサービス精神のなさに文句をいい始めた。

「きょうの披露宴はサービス精神がないよ。だいたい、会社関係の人が多すぎる。ス

ピーチも会社の人ばかりで、あんな話をされても、オレたちには全然わからなくてつまらないじゃないか」

「でも、会社の人が多いのは当然だろう」

と友人がいう。

「多いのはいいけどさ、学生時代の友人のスピーチは、誰にでも通じる普遍的なものがあるだろう。みんなにわかりやすくするのがサービスなんだよ」

結婚式は、新郎新婦こそ主人公。集まるほうが「いい結婚式でしたね」とお祝いの言葉を述べるのが普通だ。しかしFさんはどうしても気がおさまらない。

「あれで七〇〇〇円は高い」

と不満そうだ。コンサートや芝居ではあるまいし、みんな唖然《あぜん》とした。

「オレの結婚式は、みんなが楽しめる披露宴を企画してやる」

というFさんだが、友人たちは、いまから気が重い。最上級にほめあげないことには、きっとスネてしまうだろう。

「いままで見た中でも、日本一の披露宴だね。すばらしかった！」

と、心の中でリハーサルしてみる友人たちは、実に感じのいい人たちだ。

46

注意！「気を配っているふりをして自分の意見を通す人」

周りの人の気持ちを無視した自己主張をする人はイヤがられるが、周りの人の気持ちに気をくばるふりをして、実は自分のしたいことをする人も感じがよくない。

たとえば、同僚数人と食事に行こう、という場面。

G子「何を食べましょうか」
H子「そうねえ、私は何でもいいわ。みんなの好きなもので」
G子「じゃあ……中華にしない？」
H子「そうねえ、でも、○○さんが胃がもたれるっていってなかった？」
G子「そう？　じゃあ中華はよくないかしら。それじゃカレーは？」
H子「私はいいんだけど、今日は暑いから、他のみんながどうかしら……」
G子「あら、じゃあ、あっさりしたものにする？　おそばとか？」
H子「そうね、おそばならみんないいと思うわ」

この場合、そばを食べたいのは、「みんな」ではなくてH子さんのようである。G子さんが気をくばっているのも、「みんな」ではなくてH子さんだろう。H子さんの真意を探るために、もっと回り道をしなければならないこともある。

しかし、こういう人に、

「要するに、あなたがおそばを食べたいんでしょ!」

とはっきりいってしまうのもむずかしい。H子さんはとても傷つきやすいので、ワンクッションもツークッションも置いて、直接的なショックを和らげているのである。そばひとつで、人間関係はよくも悪くもなるのである。

しかし、何でもかんでも自分の希望をはっきりいえばいいというものではないが、自分の希望は自分の希望、これははっきりしておきたい。自分のやりたいことを、さも他の誰かがやりたがっているふりをするのはやめたほうがいい。勝手に他人をクッションにしたら、クッションにされたほうも困る。

「私は、今日はあっさりしたものが食べたいんだけど、みんなの希望もあるだろうから、聞いてみて決めましょう」

とすんなりいう人のほうが、よほど感じがいい。

47
こんな「どっちつかず」をやめれば、仕事も人生も好転する

あいまいで、はっきりとものをいわない人がいる。

何となく「におわせる」だけで、何がどうと決していわない人は困る。どこが困るかというと、

「相手が内心こう思っているのではないかと予想はつくが、はっきりいっているわけではないので、何の反論もできない」

というところだ。ビジネスの会議でも、

「私はA案がいいと思うのです」

という人には、賛成したり、反対したりできる。しかし、はっきりしない人には賛成も反対もできないので、話が進まない。

「たたき台」という言葉がある。何かを決めようというとき、まず、第一案を出す。それに賛成したり反対したりしながら、修正を加え、最終案ができあがっていく。

計画はどんどん変わるものだ。人の意見も、話し合っているうちに変わってくる。最初は「私はこれに賛成だ」と思っても、反対意見を聞いているうちに、気づかなかった美点が見えてきて修正することもあるだろう。

意見のはっきりしない人は、一〇〇パーセント完全主義なのではないだろうか。「たたき台」になるのはイヤで、最初から完璧な意見を出したい。自分の意見があとから「間違っていた」ということになるのがイヤなのかもしれない。A案とB案があるとき、A案に賛成すれば勝つ可能性もあるが、負ける可能性もある。負けることを恐れすぎると、どちらに与《くみ》することもできない。

立場をはっきりしない人は、結局、会議に参加せず、傍観者であることと同じになる。負けないかわりに、勝ちもない。

こういう人は、会議では印象に残らないものだ。積極的に「感じが悪い」と嫌われることもないが、「感じがいい」といわれる人にもならない。

勝たない人や負けない人は、人の心に残らない。ときには勝ったり、ときには負けたりできる人、これが、感じのいい人ではないのか。いつも勝つ必要はまったくないし、最初からリタイアしてしまう必要もない。

48 自分の「よくないところ」をこまめに点検・微調整する方法

「アポトーシス」という言葉がある。

細胞が自ら進んで死ぬ。つまり、自殺することをいう。この能力があるからこそ、必要のなくなった細胞が、いつまでも残らずに消えていく。オタマジャクシのしっぽが消えていくのは、しっぽの細胞が自殺していくからである。アポトーシスが起こらなかったら、オタマジャクシはいつまでもカエルになれないわけだ。

がんは、がん細胞がどんどん増殖していく病気だ。普通の細胞は、あるところまで増殖したら死ぬ。ところが、がん細胞はそうではない。増殖し続ける。ほうっておけば、その人が死ぬまで増殖し続ける。その人が死んでしまえば、がん細胞も生きられない。

「社会のがん」という言葉がある。これもやはり、ほうっておけば社会が機能しないくらいに増殖してしまう困った人たちをいう。「わが部署のがん」といえば、その人

がいるおかげで部署自体が死んでしまいそうなほど、困った人のことだ。

社会が機能しなくなれば、困った人たちも困ってしまうし、その部署がダメになってしまえば、困った人たちも生き残れないのだが……。

増殖するばかりが能ではない。どこかでストップしないことには、周囲のためにも自分のためにもよくないのである。

「退《ひ》きどき」を知っている人というのは偉い。何でもかんでも自分でやろうとするより、ここは誰それにまかせて、こっちは誰それにまかせようということが適切にできるほうがよい。この分野では私もまだがんばるが、あの分野ではもうリタイアしよう。こちらは捨てて、あちらを取ろう。こうして、部分部分で死ぬことによって、もっと生きられる。「がん」として切除されてしまうことがない。

自分の中の「よくない性格」も、がんと同じで、発見が遅れると、どんどん増殖する。絶対に反省せず、直さず、イヤがられても嫌われてもそのまま居座って増殖する。そういう性格こそ「がん細胞」である。

「あ、これはうまくなかったな」と、ちょくちょく反省して修正できる人は、アポトーシスを起こしている細胞と同じで、とても健康である。

49

「ひとりで社風を変えてやる！」——適応力がない証拠です

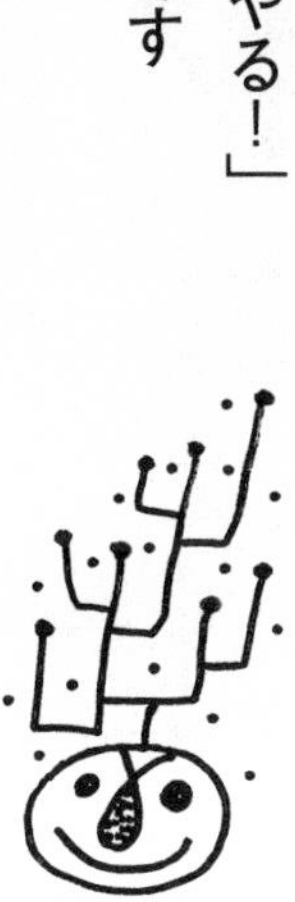

「適応性」というのは、生きていくうえで非常に大切だ。

山に住んでいれば山の環境に適応しなければ生きられない。海の近くに住むのなら、その環境に適応する知恵がいる。

これを人間関係にあてはめて考えてみよう。たとえば、会社には会社のルールがあり、社風もある。集団のルールをまったく無視するのは適応力の悪い人だ。生活の技術がヘタなのである。こういう人は孤立しやすい立場にいる。グチが多くなり、精神的老化も早い。

集団ばかりではない。イバってばかりいる人はおだてておけばうまくいく、口うるさい人の小言は受け流しておくなど、その人その人への適応もある。

また、何でもかんでも黙って耐えるのが適応ではない。自分に合う環境を選ぶことも大切だ。会社に入るときには、あらかじめ先輩社員に社風を聞く。なるべく自分が

合わせていけそうなところを選ぶ。とうていなじめないようなところをわざわざ選ぶことはない。こういうのも適応力のひとつだ。

会社に入ってしまってから、ひとりで社風を変えようとするのは適応力のない人。こういう人が会社の改革に役立つこともあるが、それにはよほどの力が必要である。また、非常に冷たく残酷で、他人を傷つけるようなことをいったり、実際に傷つけるような行動をとる人。こういう人には、普通は近づかない。親しくつきあわないのが適応だ。

近寄りたくはないのだが、たまたま会社で隣の席にイヤな人がいて、毎日イヤミをいわれる。こういう場合は、親しい友人に聞いてもらったりする。「イヤねえ。そんな人のいうこと、無視しなさいよ。気にすることないわ」などという言葉を聞いて暖をとるわけだ。

本人は親切のつもりなのだろうが、「これはちょっと暑苦しいな」と思ったら、やはり近づかない。涼しく感じる距離まで逃げる。

適応力を発揮する人はストレスが少なくすみ、結果的に周囲にも感じよくふるまえる。

50

こんな相手の「迷惑サイン」に、もっともっと敏感に！

「ほどほど」というのがよくわからない人がいる。

こういう人は、たいてい周囲に困った事態を引き起こす。

Hさんの話をしよう。あるとき、Hさんは恋をし、彼女がある花が好きだと聞いて、鉢植えの花をプレゼントした。

「どうもありがとう。このお花、大好きなのよ」

彼女はとても喜んでくれた。Hさんは有頂天になり、彼女の笑顔がまた見たくて、さらに鉢植えの花をプレゼントした。彼女は、

「あら、この間もいただいたのに、悪いわ」

と少し困った顔を見せたが、お礼をいってくれた。

そのあと、Hさんは、またまた鉢植えの同じ花をプレゼントした。彼女は、

「こんなにたくさんいただけないわ。部屋も狭いので、置き場所がなくて……」

しかし、花屋の前を通りかかって、花を見かけたとき、Hさんは今度はダンボール箱いっぱいに買い、彼女に届けたのである。彼女は二度とHさんからのプレゼントは受け取れない、と拒否した。彼女はHさんを避けるようになった。

Hさんは彼女に好意を持ち、その好意をプレゼントという形で表した。彼女も、それを喜んでくれた。ここまではいい。しかし、喜んでくれたからといって、どんどんその調子で攻めていけばうまくいくというものではない。相手の反応を見ながら、ほどほどということを考えながらつきあわなければ、相手の迷惑になる。

Hさんの行動は、彼女の気持ちに無頓着だ。遠回しに「これ以上は困ります」と伝えているのも無視している。自己満足の行動ととられてもしかたがない。

Hさんは、いくら鉢植えをあげてもあげ足りないくらい好きだったのかもしれないが、彼女のほうは、たぶんそこまでHさんのことを好きではなかったのだろう。急激にプレゼント攻めをされ、その気持ちにこたえられないことが重荷になり、Hさんを遠ざける行動になったのだ。

これは男女関係にかぎらない。ちょっとした気持ちを表すプレゼントは、相手の心の負担にならないものを上手に贈りたい。

51 夢と現実がごちゃまぜの〝困った〟ポジティブシンキング

生き方に積極的でポジティブなのはいいが、度を越すと困ったことになる。

Iさんはたいへん行動的な女性だが、周囲の人は、そんな彼女をやや敬遠している。

たとえば、映画を見終わったあとの会話。

「主演のブラッド・ピット、素敵だったわね。私、大ファンなの」

するとIさん。

「そんなに好きなら、どうして彼に手紙を出してアタックしないの？　人生は一度しかないのよ。挑戦しなくちゃ！　英語がダメなら、私が手伝ってあげるわ」

これでは、いわれた人も困る。うかつに好きなタレントの話もできない。

またあるときは、突然、ある映画監督の映画を海外に紹介したいといい出し、友人に、

「どうすればいいのかしら。誰かコネはない？」

と相談する。

「その監督の、何という映画を紹介したいの？」

「一本も見ていないけれども、その監督とお話しする機会があって、とてもいい人なのよ。だから、ぜったいに紹介したいの」

その人は、ため息をつきながらアドバイスしたそうだ。

「まずビデオ屋さんに行って、その監督の映画を見たら？」

Iさんの気持ちはわからぬでもないが、あまりに〝前向きすぎ〟やしないか。

「できません」「私には無理です」「どうせダメよ」と何ごともネガティブで、ちっとも挑戦しない人は、自分の可能性を狭めてしまう。しかし、自分の可能性をちゃんと限定できない人も困る。

「ポジティブ」とは、自分にできることをひとつひとつやりながら、前へ進んでいくことだ。夢と現実、思いつきと実現可能性の区別はきちんとついていないと、決して前向きには進んでいけないものだ。意欲にだけあふれていても、ポジティブとはいえない。

現実認識のないポジティブほど恐ろしいものはない。

52
感じのいい人は、相手の「能力」までなぜか引き出す

相手を「緊張させる人」と、相手を「リラックスさせる人」がいたら、これは絶対に「リラックスさせる」人のほうが感じがいい。

人間は、リラックスしているときに、もっとも自分の能力を発揮できる。たとえば、ひとりでお風呂でのんびり歌っているときは高い声が出ても、ステージに上がってソロで歌ってくれといわれたら、緊張で声が出なくなる。能力も萎縮しているからだ。

つまり、感じのいい人は、相手の能力を自然に引き出す人でもあるのだ。

その人と出会ったことによって、それまで気づかなかった自分の能力を引き出され、発展することがある。こういうきっかけになる人は、ほめ上手で聞き上手、相手をリラックスさせるのが上手である。自然と会話がはずみ、はずんでいるうちに、思いもよらぬいいアイデアが生まれてきたりする。気持ちがいいので、また会いたいと思う。

しかし、これを意識的にやろうとしても失敗する。

たとえば、子供の音楽の能力を伸ばしてやろうと思って、

「○○ちゃん、すごいわ。音楽の才能があるわ」

と一生懸命にほめて、何とかして音楽の方向へ芽を伸ばそうとしても、あまり作為的なのはかえって失敗する。ひとりの他人を自分の思いどおりに動かそうという試みは、だいたい失敗するようである。

あなたもそうではないだろうか。いくら自分のいいところをほめてもらっても、あまりいい気がしないことがある。相手のほめ言葉が本心からではないことを感じてしまうことがある。

一方、相手が本当に喜んでくれている場合は、こちらも心の底からうれしくなる。自分の描いた絵が本当に喜んでもらえたり、自分の演奏する音楽を楽しんでくれているとき、相手が楽しそうに会話をしてくれているとき。そういうとき、自然と自分の能力が一番よく発揮される。

無理なくほめられるのは、基本的に他人に対する好意があり、人づき合いを楽しめる人だろう。あまり強欲ではない、上品な愛情にあふれている。

53

「バカにされまい」と必死なところがバカにされるモト

相手を緊張させるのはどんな人か。

それは、相手のことをバカにしたり、けなしたり批判する人だろう。

また、何かといえば「それは、いい答えだ」「いまのは五〇点くらいですかね」「キミはまだまだだ」「〇〇さんと比べて……」と評価したり比較する人はイヤがられる。つきあっていても、いつも試験されているようで愉快ではない。

相手を緊張させる人は、自分自身が非常に緊張を強いられている人と思って、まず間違いない。緊張性といったらいいのか、自分自身がリラックスしていないのである。いつも人をバカにし、批判し、評価しているので、自分自身も人にバカにされ、批判され、評価されているのではないかとおびえている。余裕やゆとりどころではない。

弱い立場の人を見たら守ってあげよう、助けてあげようと思う人は、自分にも弱みがあることを知っているし、お互い助け合っていけばいいと思っているので、自分の

弱みを見せるのも平気である。

ところが、弱い立場の人を見つけると、徹底的にバカにする人もいる。こういう人は、自分の弱みを否定したり、忘れたいからだろう。他人をバカにして優越感を感じている間は、自分が屈辱感を味わわずにすむ。そのかわり、自分の弱みを見せたらバカにされると思うから、弱みを見せまいと必死である。

しかし、バカにされまいという必死の努力とは裏腹に、こういう人は必ずバカにされる。というのも、いつも人をバカにしていれば嫌われるのがあたりまえで、すきを見つけてバカにし返してやろうという敵をたくさんつくってしまうからだ。

弱い立場の人を軽蔑し、攻撃する。これは、見ていて決して美しいものではない。また、この種の人は、権威や強いものには、こびへつらう傾向がある。この落差がまた醜い感じである。

こういう人は、決して自分をおびやかさない弱者にはやさしい場合もある。ナチスのある将校は、大勢のユダヤ人を冷酷に殺しておきながら、自分のペットの小鳥が死んだときには涙を流したという。この落差は、見ていて美しい態度とはいいがたい。

54 「偏見」を一つなくすたび、「感じのよさ」は一つ増える

世の中には、さまざまな「偏見」を持った人々がいる。

たとえば、「○△人」というだけで、もう「人間的に劣っている」と決めつけたり、「犯罪を犯しやすい人種だ」というようなイメージを持つのが「偏見」である。

社会心理学者のアドルノは、これらの「偏見」について研究をしているうちに、偏見を持つ人々には共通した性格があることに気づいたという。それが権威主義的な性格であった。伝統的な因襲には無批判に同調し、強者に屈従し、弱者を攻撃する傾向が強い。偏見というのは偏って見ること、偏った見方である。なぜ偏ってしまうのかといえば、狭い世界に閉じこもって生きているからではないだろうか。

人間、生まれてくれば、まずはその両親のもとで育つ。もしもその家で、毎日カレーライスを食卓に出していたら、子供はそれをあたりまえだと思って育つ。大きくなって、もう少し広い世界を知るようになると、「毎日カレーライスばかりを食べるの

があたりまえではない」とわかる。

いつまでも狭い世界にいれば、狭いものの見方で生きていける。いろいろなことを知れば、「こんなこともあるのだなあ」「こういう人もいるのだなあ」と、どんどん偏りがなくなっていく。常に好奇心を持って視野を広げ、いろいろ勉強するのは、偏りをなくしていくためにはいい方法である。

ところが、いろいろなことを知っても、かたくなに自分の生きてきた世界だけしか認めないやり方もある。

「毎日カレーライスを食べない人たちは人間的に劣っている」と決めつける。これが偏見の誕生だ。たとえたくさんの人とつきあっていても、頭の中は狭い分野に閉じこもることはできるのである。

偏見の強い人は、人づき合いにいろいろな障害、不都合が表れる。偏った思い込みを正当化しようとすれば、へ理屈やこじつけ、つじつま合わせやボロ隠しのウソも多くなる。あちこち無理が出てくるので、うむをいわさず相手を屈服させる力を持ちたがる。

この反対に、柔軟で偏見にとらわれていない人は、ホッとするほどつきあいやすい。

55 「いま一番熱中していること」を〝公言〟する絶大な効果

感じがいい人は、好奇心旺盛で、向学心にあふれている。

常にいろいろなことを勉強しようという意欲に燃えている人は、よけいな悪いことを考えたり、よけいなおせっかいをしているひまがない。やれ、あの人がどうしたとか、あいつはイヤなやつだとか、悪口に明け暮れているひまがないのである。だから、何となくすっきりしていて、感じがいい。

会えば、最近熱中していることを話してくれるので、楽しくすごせる。会うたびに人の悪口ばかり聞かされるより、ずっといいわけだ。

楽しいこと、やりたいこと、知りたいことでいっぱいだから、生き生きしている。頭脳も、いつも使っていて新鮮だからだろう。

何ごとも、それ以上進まなくなったら、しぼんでいくのではないのだろうか。維持したいと思ったら、常に動かすことだ。体を使わなければ、血行が悪くなって、悪い

血がたまってくる。循環がよければ、酸素が行きわたって、血も新鮮になる。頭だって、どんどん使っていなければよどんでくる。ボケも早い。廃用性萎縮とは、そういう意味の言葉だ。

同じことを繰り返しいうようになったら、老化の始まりである。それ以上、新しいことが入ってこないから、何度もビデオの再生ばかりするようになる。再生ばかりしていれば、ビデオテープも劣化してくる。見ているほうだってイヤになる。好奇心旺盛な人は、前に会ったときと、次に会ったときでは全然違う。常に新しい驚きがあり、成長があり、刺激がある。こういう人に会うと、自分までリフレッシュして気持ちがいい。

しかし、ここにも落とし穴はある。勉強するたびに、へ理屈をこねるのばかりが上手になったり、その知識をひけらかして他人を攻撃することもできるのである。また、たくさん知るごとに、どれだけ自分がものを知らないかということに気づくのではなく、さらに人をバカにする傲慢《ごうまん》さを育てていく人もいる。

こういう人は、知識を仕入れても、あまり広がらない。リフレッシュするのではなく、さらに老朽化していくようである。

56 一番大事な「自分への報酬」を忘れていませんか？

「アメとムチ」という言葉がある。

動物の調教は、やらせたいことを条件づけする。できたらアメ、できなかったらムチをくれる。アメのほうをもらいたいから、だんだんそちらをやるようになるわけだ。

人間もまったく同じである。報酬があれば、どんどんそれをやりたくなるし、報酬がなければやる気がしなくなる。「報酬」とは、お金だったり、ほめて認めてもらえることだったり、他人からの愛情が得られることだったりする。いくら努力しても、ちっとも報酬が得られない場合は、だんだん無気力になってくる。

アメとムチは、量や回数、バランスなどが適当でないと効果はないようだ。やたらにアメばかり与えて甘やかしてもダメ。ムチばかり多くて厳しすぎてもダメ。

この、「アメとムチ」を自分に対して使い分けるのが上手な人と下手な人がいるのではないだろうか。

自分にとって、何が「アメ」なのか。まず、これがわかっていないとうまくいかない。自分にとっての「アメ」の方向に向かって生きていけば、やる気がわいてくる。簡単なようだが、意外とそううまくはできないのが人というものだ。

幼稚園のころ、好きな女の子をいじめる男の子が必ずひとりくらいいたものだ。この子にとって、本当は、好きな女の子の好意を得ることが報酬である。しかし、そのためにどうしたらいいか、やり方がわからない。男の子同士で遊んでいるときは、強い者が勝ち、大将になれる。一番強い子が認められ、報酬を得る。

さて、女の子に好きになってもらうには、やさしくしなければならないのだが、まだそういうことはわからない。そこでとりあえず、その子に自分の存在を認めてもらうためにちょっかいを出し、いじめてしまうわけだ。そしてその子に「嫌われる」というムチをもらって、だんだんと「このやり方じゃダメらしい」と覚えていく。

さて、あなたにとっての「アメとムチ」は何だろうか。その報酬を得るためのやり方は間違っていないだろうか。間違っていない人は、ストレスも少なく、周囲との摩擦も少なくて感じがいい。

57

こんな「大人になりきれない人」がなぜ多い？

この世の天国、この世の地獄は誰もが経験するが、あの世の天国、あの世の地獄は、行ってみなければわからない。死んでからも天国や地獄があるのかどうか、私たちには謎である。しかし、昔から、天国や地獄という発想は世界中にあるようだ。

「ウソをつくと、閻魔《えんま》さまに舌を抜かれますよ」

「悪いことをすると、地獄に落ちるぞ」

「食べ物を粗末にするとバチがあたるわよ」

と親に脅された経験は、あなたにもあるだろう。

子供のころは「それはたいへんだ」と思って悪いことをしないように気をつけるが、大人になれば、だんだん自分の心の中で天国や地獄を感じるようになる。死んでからがどうであれ、いま自分が「悪い」と思うこと、イヤなことはしたくないし、自分が「よい」と思うこと、気持ちのよいことはしたい。そういうとき、天国や地獄は、ど

こかで心の支えになっているのかもしれない。

ところが、大人になっても相変わらず「よいこと」「悪いこと」が自分の心の中に根づかず、「バレなければやってもよい」「罰されなければ、何をしたっていいさ」という発想の人もいる。これは、大人や閻魔さまの目を盗んで悪いことをしている子供と同じである。自分の中に自分を律する「大人」がいないのだ。

また、他人に対して閻魔さま役をやりたがる人もイヤなものだ。

「キミはいつまでも怠けて、才能をムダ使いしている」

などと厳しく追及する、なまはげのような人もいる。たぶん、自分自身がなまはげにおびやかされているに違いない。自分がなまはげとなって他人を脅すと偉くなったような気がする。そうやって安心するのかもしれない。

しかし、相手ももう大人なのだから、自分の心の中に閻魔さまやなまはげを持っている。他人のなまはげは他人のなまはげだから、ほうっておけばよい。それぞれの罪悪感は、それぞれが処理すればよいではないか。

自分の中にアメやムチを持って、適度に調整しながら生きている。そういう人は、感じがいい。

58 こういう「先回り忠告」が相手の気持ちを萎えさせる

子供のころ、母親から「勉強しなさい！」「片づけなさい！」などといわれて、「いま、やろうと思ってたのに」とくやしがった経験はないだろうか。

さっさとやればよかったのだが、親に先にいわれてしまったら、やる気がしなくなる。親のいうことを聞いて、親の思いどおりになったようでイヤなのである。せっかく自分から自発的にやろうと思っていたのが台なしなのだ。

親は子供に対して、あまり先回りしないように気をつけなければならない。ましてや、親子でもない赤の他人に、よけいな口出しは厳禁である。

Kさんは、近所のLさんの息子さんの就職にまで口出しをする。息子さんが入社を希望している会社がよくない、建っている場所が悪いというのである。Lさんは、「私もあのへんはあまり雰囲気がよくなくて好きじゃないのよ。でも、そんなこと関係ないし、だいいち息子が決めることだから」

といった。

さて、息子さんは希望の会社に就職することができたが、同じ部署に問題児がひとりいて、トラブルが起こり始めたという。その話を聞いたKさんは、勝ち誇ったように「でしょう?」という。「それ見たことか、私のありがたい忠告を聞いてやめておけばよかったのに」とでもいいたげである。そして、早く転職するように忠告する。「でもね、長い人生なんだから、少しくらいトラブルがあるのもいいと思うのよ。どこに行ったっていろんな人がいるし、それで世の中がわかるんだし。私がしゃしゃり出なくても、自分でなんとかするでしょう」

とLさんはいう。Kさんはいい返す。

「あなたには、息子さんに忠告するお役目があるのよ」

そういうことなら、Kさんには何の役目があって、こうまで他人の息子の心配をするのか。だいいち、その「忠告」には「無責任」が含まれている。周りの奥さんたちも気の毒に思っているが、Kさんに「忠告をやめるよう」忠告しようものなら、今度は自分が何を忠告し返されるかわかったものではない。忠告恐るべし、である。

59

ふだん口うるさい人ほど「イザというとき」だらしない!

あるとき、Sさんは忙しくてイライラしていた。

家を出てすぐに、大切な書類を忘れてきたことを思い出し、取りに帰ったらカバンの中に入っていた。電車に一本乗り遅れ、あわてて約束の場所に行ったら、相手が三〇分も遅れてきたという。こういう日は、何をやってもうまくいかない。たとえば、並んだトイレの列は必ず一番遅い、並び直すとさっきの列のほうが早く進む……。

笑ってはいけない、たしかに、こんなときはあるものだ。何をやってもタイミングが悪く、ますますイライラする。

この話を聞いたTさんには、思いあたることがあった。

「あるわよねえ、そんなとき。私も、このまえ、家賃を払いにいこうと思って、お札を本の間にはさんでおいたの。それを忘れて古本屋に持っていっちゃって! すぐに気がついてあわてて取りにいったのよ。それがサイババの本でね、古本屋に入るなり、

サイババ！　サイババ！　って叫んじゃったわ」

するとSさん、ニコリともせずにひと言。

「それは何かのサインよ。早く変わらないと、そのうちにドーンとくるわ！」

何がドーンとくるやら、どう変わればよいのやら……Tさんは呆然としてしまった。

Sさんは、悔い改めよ、さもないと大洪水で滅びる、というくらいの勢いである。

この「悔い改めよ、さもないと」方式の人は、いざというときに「私の正しいことを思い知ったか」といいそうでコワイ。困ったときにも絶対に頼りたくない人である。

反対に、口うるさくない人には、いざ困ったときに「困った。助けてくれ」といえる。

実際、頼りになり、力になってくれる人には、あまりおせっかいな人はいないのではないだろうか。

本当に悔い改めなければならない大きな問題は、みんなで考え、ひとつひとつ対応策を立てて実践していくほうがよいだろう。他人の問題は他人の問題。脅して悔い改めさせるのは、あまり上品なやり方とはいえない。それより、トイレくらい落ち着いて並んで、自分の言動でも振り返るほうが、よほど世のため人のためである。

60 感じのいい人の「言葉づかい」——どこがどう違う?

相手にわかる話をする人、全然わからない話をする人。

これはやはり、わかる話をする人のほうが感じがいい。

むずかしい話をわかりやすくできる人は、聞いていて、「この人は頭がいいのだろう」と感心する。これと反対に、やさしい話をわざわざわかりにくく話すのが得意な人もいる。

たとえば、何やらむずかしそうな専門用語をやたらに使う人。専門用語が通用する人同士で話しているときは、それでかまわない。そのほうが話が通じやすいだろう。

しかし、相手が部外者でも、平気で専門用語ばかり使っている。

自分が生きている世界は、意外に狭い世界だということを知らないのか。どこに行ってもその用語が通用すると思っているのか。

もし使うのなら、「こういう言葉があって、それはこういう意味なのですが」と、

ひと言説明すればいい。

何の説明もなしに専門用語でペラペラしゃべり続け、相手がさっぱりわからないことに気づかないのでは、親切心に欠ける。想像力もない。

また、やたらに英語の単語を使う人。英語を使ってはいけないわけではない。すでに日本語化して、誰でもわかる英語もあるし、英語でいうほうがわかりやすい言葉もある。しかし、会話内にあまりひんぱんに英単語を使う必要はないのではないだろうか。いちいち「それは何という意味ですか」とも聞きにくい。

世の中には、むずかしい話をされると「この人は頭のいい人なのだ」と思ってしまう人もいる。また、わかりやすい話ばかりしていると、「この人は頭が悪いのだ」とバカにする人もいる。しかし、そうとばかりもいえないだろう。

日本人なら日本語が一番よくわかる。フランス人ならフランス語が一番よくわかる。だから、日本人と話をしたいなら日本語でするのがいいし、フランス人にはフランス語でしゃべったほうがわかってもらえるだろう。

相手の生きている世界をなるべく理解し、その人にわかりやすい言葉で話をする。お互いにその歩みよりをしたいものだ。

61 「みんなが話を聞きたがる人」の魅力はこんなところ！

自分のいいたいことを相手に伝えるためには、自分ばかりがしゃべっては絶対にダメだ。

「あれを伝えたい、これを話したい、私のこんな話を聞いてほしい」

そう思って、つい自分の話したいことばかりしゃべる。これでは子供と同じだ。子供なら、それで許される。

しかし世の中は、これでは通用しない。一方的にしゃべる人は、だんだん話を聞いてもらえなくなる。相手もしゃべりたい。自分のことも聞いてもらいたいのだ。他人のおもしろい話を聞くより、自分のつまらない話を聞いてもらうほうが楽しいことだってある。

一方的にしゃべる人は、このあたりがわからない。自分のご高説を披露するのには熱心だが、相手がしゃべり始めると、話の腰を折ってしまう。そしてまた自分の話だ。

これでは、いくらしゃべっても聞いてもらえず、せっかくのご高説もムダである。本来の目的を果たせない。

これに反して、聞き上手な人は、自然に自分の話も聞いてもらえる。なぜか。自分の話を聞いてもらえば気持ちがいい。相手に好感を持つ。たとえどんなにいい話でも、嫌いな人の話など聞きたくないが、好きな人の話は聞きたくなるではないか。

こうして、懸命にペラペラしゃべっているのに、ちっとも聞いてもらえない人と、みんなが注目して話を聞きたがる人の違いが出てくる。

「自己アピール」は、必ずしも声高にアピールすればいいというものではない。アピール、アピール、ひたすらアピールをやってしまう人は、アピールのしかたがヘタである。

他人に好かれ、「感じがいい」と思われるアピールをするのが、まず第一。そうやって、お互いの間に、親しみや信頼感の持てるいい人間関係をつくる。その間に、相手の好きなこと、興味のあること、相手のクセや特徴もわかってくる。

自分のいいたいこと、自分の長所は、それからゆっくりとアピールしていけばよい。

62

健康の秘訣は腹八分目
――人間関係もズバリ同じ

私がこれまでの人生で一番「うまい！」と思ったもの。

それは、敗戦間近の陸軍病院で食べた豆腐だった。

当時は、さすがの軍も食料が底をつき、配給の大豆を生でボリボリとかじっているありさまだった。そこで、自家製の豆腐をつくろうということになった。軍隊にはいろいろな職業の人が集まっている。豆腐屋もいた。そこで、彼から道具を借りて豆腐づくりが始まった。

完成した豆腐をひと口食べた私は、

「世の中に、こんなうまいものが存在したのか！」

と思った。戦前には毎日食べていた豆腐だが、あのときほどうまいと思ったことはなかった。いまも、あのときの豆腐のまろやかな味は忘れられない。

いまと比べたら、大豆もたいした高級品ではない。豆腐をつくるのが初めての人も

大勢いた。それでも、あの豆腐を超えるうまい豆腐に、私はそれ以来、出会っていない。飢えた人間だけが、あの「うまさ」を味わうことができるのだろう。

それに比べて、いまの世の中は豊かである。食べ物はあふれている。世界中のおいしい食べ物が手に入る。しかし、私があのとき味わったほどの豆腐のうまさを知る人は少ないのではないだろうか。

飢えを知る人は、満足も知る。反対に、飢えを知らない人間は、満足を知ることもできないのではないだろうか。

欲望には限りがない。十分に食べられるようになれば、もっとおいしいものを望む。たくさん甘いものを摂《と》っていれば、甘さにも不感症になってきて、もっともっと甘くなければ満足できなくなる。けれども、甘いものをある程度セーブしていれば、そのうまさを味わうことができる。

人生も同じだ。一〇〇パーセントの欲望を満足させようとする人は、いつも不平不満だらけだ。「飢え」を知る人は、現在の幸福を十分に味わえる。あまり強欲に欲望を追い求めるより、飢えを知り、欲望をセーブできる人のほうが感じがいい。飽食で育った、いまの子供の前途が心配だ。

63 「エゴのひた隠し」は、あなたの魅力を半減させる

生まれたばかりの赤ん坊は、きわめつきのエゴイストである。

お腹がすけば泣く。おむつがぬれれば泣く。

「お手をわずらわせては申し訳ない」と、自分でおむつを替える赤ん坊はいない。誰かがやってくれるのが当然と思って泣いている。自分にお乳を与えてくれる母親にはなつくが、ほかの人間には人見知りをする。「誰とでも仲良くしよう」などとも思っていない。自分にメリットを与えてくれる人間とだけ仲良くするのである。

手に取ったものは、すべて自分のものだと思っている。取りあげようものなら泣き叫ぶ。自分の思いどおりにならないと、たちまちご機嫌が悪くなる。

大人になってもこのままだったら、争いやケンカが絶えず、人間関係のストレスが増大し、精神科医が多忙になるという、私には喜ぶべきか悲しむべきかわからない事態になるだろう。

しかしまた、人間の本質、「生きよう」という根源の欲望は、赤ん坊のこの姿である。私たちがピンチにおちいったとき、そこから脱出するエネルギーは、このエゴイズムだ。

「もっといい生活をしたい」
「あいつに勝って、見返してやりたい」

この気持ちがバネになって、苦しみをはね返していく。エゴイズムをむき出しにしてはいけないと思い込んでいる人も多いだろうが、しかし、エゴイズムを抑えすぎると、たくましさ、パワーのない、メソメソした人間になってしまう。

たくましく生きるエゴイズムを根本に持ちながら、それを「知恵」というオブラートに包み込んで、上手にコントロールする。自分の欲望を実現させ、前進しながら、他人への配慮も忘れず、他人の都合も大切に考える。

こうして、愛情や友情に彩られた豊かな人生を創造していける人が、「魅力ある大人」といえるのではないか。

エゴイズムをひた隠しに抑え、自分を殺して生きている人は、決して感じよくはない。その反対に、エゴイズムむき出しの人も感じが悪い。要はバランスの問題である。

64

感じのいい人は、「他人との違い」を秘かに楽しむ

他人と自分は違う人間である。

たとえ親子であっても、恋人同士であっても、ひとりひとりがそれぞれの考えを持った、違う人間である。これは人間関係の大前提だ。

ところが、この「違い」を非常に「悪いこと」のように思う人がいる。

「私はこう思うのです。そう思いませんか？」と同意を求め、

「いや、私はそう思いませんね。私はこう思うのです」

と異論をとなえられると、がっかりしてしまう。

「そうでしょうか、私もそう思ったほうがよいのでしょうか」

別に思わなくてもよい。その人は、私と同じ考えになってもいいが、ならなくてもよいのだ。その人には、その考えがある。それでいい。

しかし、「違う考え」をいわれると、もう「自分」が否定されたように思い込む人

がいる。その前に、自分が相手に「違う考え」を述べるのは、相手を拒否することになるから悪いのではないかと思う人もいる。

何でも自分に同意してくれ、「そのとおり！」と賛成してくれる人としかつきあえないとなれば、人づきあいがおっくうになるばかりだ。本人の意図は「人と仲良くしたく」ても、その気持ちとは裏腹に、結局、自分から閉じこもることになる。

「キミはそういう考えなのか。ボクはこう思うんだよ」

と、他人との違いを楽しむ気持ちが大切だ。そんな気持ちでいれば、さまざまな人とつきあうことができる。その中で、特に気のあう人、考えのあう親しい友人もできてくる。親しさの度合い、深さには段階がある。大きく考えの違う人とも、共通点の多い人とも、それなりの距離や深さでつきあえる。これができる人はつきあいやすく、感じがよい。

しかし、他人との「違い」が「悪い」ことだと思う人は、表面的に「そうですね、私もそう思います」と合わせてしまったり、あたりさわりのないことをいって平和を保とうとする。もちろん、浅いつきあいのときは、それでいい。

しかし、いつまでもそれだけのつきあいでは、つまらないし、寂しいではないか。

65 二つの「愛情表現」に学ぶ、本当の「人間の強さ」

『俺たちに明日はない』という映画がある。

ボニーとクライドという女と男が、銀行強盗をしながら逃避行を続ける。殺人も犯し、だんだん後戻りできない逃避行になっていく。

逃避行の途中で、女が母親に会う場面があった。母親は娘に「恐ろしいことだね。一生逃げ回るしかないよ」というが、ギャングとなった娘を警察に通報することはしなかった。

一方、途中で運転手として加わった若い男と三人で、その男の家へ逃げ込む場面。若い男の父親は、「息子の友だちをお世話できてうれしいよ」と三人を迎え入れておいて、あとでこっそり息子を張り飛ばしてしかった。「なんというバカものだ。ママが生きていたらさぞ悲しむだろう」と。そして警察へ通報し、息子に二年の刑を受けさせる決心をする。

息子をかばって、黙って逃がしてやろうという愛ではない。悪いことは悪いと判断し、犯した罪の罰は受けさせて、これ以上の罪を犯さないようにストップする。これも愛情である。もっともこの父親は、主犯のボニーとクライドを差し出すことで、息子の刑を軽くするように警察と取り引きをしたようだが……。

映画の話はともかく、愛情には二種類あるのではないだろうか。何があってもわが子を守る、どんな悪いことをしても受け入れる愛。こういう愛が、人間には必要である。とことん自分を信じて保護してくれる人間がいるという安心感——。

しかし、これだけではいけない。「保護する」愛だけでは、人間に「しまり」がなくなる。自分で自分を支える力がない人間になる。欲望をがまんしたり、努力することを覚えない。欲しいものがあれば、汚い手を使ってでも盗もうとする。それが「強い男」だなどというカン違いをする。

本当に強い大人とは、現実社会の一定のルールの中で、欲望を満たしていく方法を身につけていく人間だ。手っとり早い方法などない。悪いことをすれば、裁かれる。競争に勝つこともあれば、負けることもある。その厳しさを教える愛もある。

この両方の愛を身につけ、時と場合に応じて発揮できる人は魅力がある。

66 「意見が合わない人」と「感じの悪い人」を一緒にするな

他人と違う自分の意見を述べたり、自分と違う他人の意見を聞いたりするのは、たしかに労力のいることだ。そんなつもりではなかったのに「攻撃」と受け取る人もいるし、自分と違う考えの人には、とかく話が伝わりにくい。

それは当然だ。誰もが自分の「ものの見方」で考えるから、全然違う発想は理解しにくい。つい、自分なりの「考え方」で解釈する。だから、お互い、いくら話してもさっぱり通じないこともある。

しかし、そうやってつきあいを深める労力を惜しんでいたら、親しさは深まらない。面倒でも、こういう作業をすることによって、

「どうもあいつとは、この点になると、いつも意見が合わない。しかし、ああいう考えの人間もいるのだし、あいつにはあいつの考えがあるのだろう」

ということくらいはわかってくる。そして、その点で意見が合わなくても、十分に

親しくつきあえる人間であることもわかってくる。お互いの考えをきちんと持っていれば、たとえ行く道が違っても、相手の考えを尊重する気持ちや信頼感が持てる。反対のケースを考えてみればよい。ホンネをいわず、表面的に合わせているだけの人と、信頼関係がつくれるだろうか。

他人とのつきあいが面倒なときは、誰にもある。たくさんの知らない人が集まるところに出かけるより、静かに書斎にこもり、ひとりきりの時間を持ちたい。そんなときは、長年の気心の知れた友人とだけしゃべりたいと思う。気がラクだ。落ち込んだときに心を割って話せる。

しかし、いざ落ち込んでから、そういう友人をつくろうと思っても手遅れだ。ふだんから、面倒がらずに長い努力を続けていくことが大切である。

人と人というのは、違って当然である。当然のことなのだから、素直に受け入れればよい。ところが、これがわからない人が多い。意見が違うからといって、相手を敵視したり無視したりする。これはもう、情けないほどのバカげた行為である。

自分と同じ人間など、この世にいない。となれば、自分と他者との違いを楽しめばよい。これがわかっている人は、感じがいいのではないだろうか。

67 それは本当に「あなた」がチヤホヤされているのですか

ときどき「肩書依存症」「名刺依存症」と呼びたい患者さんが現れる。

彼らは、会社の肩書と一体化して生きてきた。「○○会社・課長」である自分が「自分」だと思って生きてきた。銀座でチヤホヤされるのは、会社の接待費があればこそなのだが、「自分」がチヤホヤされているとカン違いしている。

毎年、一〇〇〇通も届いていた年賀状が、定年したとたんに、たった数通に減ってしまう。「自分」に届いていたと思っていた年賀状だが、実は、「○○会社・課長」という肩書に届いていた年賀状だったと知る。

いったい、オレの何十年の人生は何だったのか。本当の友人、本当の人間関係はなかったのか。この「自分」に年賀状をくれる人は、こんなに少なかったのか……。そんな疑問を持ったときは、もう老年。これからいったいどう生きたらいいのかさっぱりわからなくなって、うつ病になってしまうのだ。

「本当の私とは、何なのか……」こんなことをつぶやく若い社員に、

「何をいっているのだ、本当の自分などどうでもいい。仕事をしろ！」

と怒鳴ってきた課長が、いざ、その「仕事」を取り上げられたら、

「本当の私とは、何なのか……」

と、つぶやき始めるのである。

「本当の自分」とは何であろう。それは自分自身で見つけるしかあるまい。しかし、少なくとも「名刺の肩書」が「自分」ではないらしい。

それなら、ときには「名刺なし」のつきあいをしてみてはどうだろうか。あるいは、肩書なしの名刺をつくってみる。趣味の仲間などには、この「肩書なしの名刺」であいさつする。「○○社のエライ人」だから、という理由でペコペコする人はいない。そんな場所では、自分自身の魅力が勝負である。

そのとき、あなたは、どんな会話をし、どんな行動をするのだろうか。その中に、「自分らしさ」が見えてくるかもしれない。

68 感じのいい人は、万事「ほどほど」のスタイルで接する

私は、アルコール依存症の患者さんに、酒をやめるように指示する。酒が嫌いになる薬も処方する。精神科医として当然のことだ。

けれどもまた、アルコール健康医学協会の会長でもある。その立場で講演するときには、「みなさん、お酒は楽しいですね。酒は百薬の長。適正に飲みましょう。実は、私はアルコール依存症の一歩手前ですが……」

などと冗談さえいう。

また、旅行作家協会の酒豪の友人たちと酒を飲みにいったとき、

「死んでも酒はやめないぞ。酒が飲めなくなったら死んでやる！」

という、いさましい酔っぱらいの友人の言葉に、

「よーし、そうだそうだ！」

と盛んにあいづちを打っている。

なんといいかげんなことだろう。しかし、そこには一貫していることがある。その場、その相手、そのときの自分の立場にふさわしい態度をとる、ということだ。また、「ご自分で適正にお飲みなさい」ということである。

酒が好きだ、大好きだ、死んでもやめないぞ。友人がそういうのなら。それでいい。「精神科医の立場としては……」と、酒をひかえることを勧める必要はない。お互いに対等な、友人同士のつきあいだ。死んでも飲みたい人は、楽しく飲めばよろしい。

しかし、アルコール依存症になって病院にくるのは、「友人」ではなく「患者」さんである。自分にとっての「適正」量がわからなくなってしまった病人なのだ。医者の立場として、「死にたくないのなら酒をやめなさい」と厳しく指示しなければならない。そのときの立場や相手によってクルクル変わる。これがよい。

さて、私はといえば、飲酒量はずっと一貫している。自分にとっての適正量を楽しく飲んでいるつもりだ。酒の量だけではない。何ごとも、自分の適正は自分で決めるのがよいだろう。

そして、他人の適正には口を出さない。これが、自分の味を持ちながら、他人と調和する秘訣である。

69

人生はギャンブルと同じ
——「勝ったり負けたり」が当然

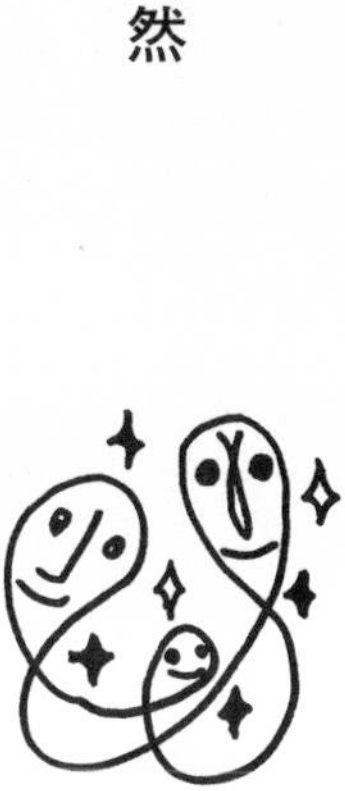

この世の中は、たくさんの人間の中から、ひとりの傑出した人間が現れる。その途中では、競争に敗れていった者、脱落していった者がたくさんいる。ある意味では、冷酷で残酷な競争社会の現実である。しかし、それでいいのではないか。考えてもみてほしい。「私」というひとりの人間は、どうやって生まれたのか。父親の体内から出た無数の精子が競争し、脱落し、たったひとつの精子が卵子にたどりついた。こうして、ひとりの人間が誕生するのである。競争し、勝っていくことは、生きていくこと、生命の根源なのだ。まったく競争のないところでは、人の生命力が失われていく。

あるとき、街中で、こんな生き物を目撃した。ブヨブヨと太り、自分の体重を支えるのも精いっぱい、ヨタヨタところびそうになっている犬である。自分でエサを取る努力をしなくても、飼い主にペットフードをふんだんに与えられているのだろう。他

のオス犬とケンカすることもない。闘争本能も失っているのではないか。

あの犬には、過酷な生存競争がない。競争しなくても生きていけるのだ。ところが、どうだろう。生存競争がないかわりに、生き生きとした生命力まで失われている。

闘争本能といっても、戦争を奨励するのではない。たとえばスポーツがある。勝った、負けたと競争をする。仕事で議論をする。「私はこう思う」「いや、私はこうだ」とかんかんがくがくの末に勝った者の案が通る。

能力のある者は出世する。ない者は窓際族になっていく。出世しても、人望がなければ、また落ちる。これが世の中だ。

しかし、負けたからといって、人生すべてに負けたわけではない。競争を避け、挑戦もせず、生命力を失っていく……このほうが「負け」ではないか。誇り高く闘争し、誇り高く負ける人は、決して「負け犬」ではない。競争なしの、ブヨブヨのペットこそ負け犬だ。

「勝つ」ことだけが強さの証明ではない。「負けられる」ことも、競争に挑戦する強さを持っているという証明になる。感じのいい人は、その強さと生命力を持っている。

70

こんな「レッテル」を貼られる前に、きっちり「自己主張」を！

あなたが「A」という考えを持っていたとしよう。

ところが、相手が、

「私はBがいいと思うんですよ」

という。そういうことなら……と、相手にも好かれたいので、

「私もBがいいと思います」

と答える。すると相手は意気投合したと思って、あなたに好感を持つかもしれない。

つきあいが続いて、あるとき、相手は、

「私はCが好きだ、Dなんて大嫌いだ」

という。あなたは本当はDが好きなのだが、相手に嫌われたくないので黙っている。

そんなことはないだろうか。たしかにこういうことも、ときには必要である。表面的な調和を乱さないことが何より、という人間関係もある。それはそれでホンネとタテ

マエを上手に使い分ければよい。また、たいして重要ではない事柄なら合わせたっていい。今日は本当は天ぷらが食べたかったが、相手がうなぎがいいというので合わせたって、人生に関わるほどのことではない。

しかし、何もかも合わせてしまうのはよくない。あなたにとって、「ここはAでいく」という重要なポイントは何だろうか。いったいあなたは、誰と親しくつきあいたいのか。よく考えてみてほしい。

あなたがAとDを大切にしていたなら、同じようにAとDを大切にする人とは非常に親しくなれる。しかし、自分の好き嫌いや主張を隠して、

「BとCが好きなんです」

といっていたら、BとCが好きな人が近寄ってくるだろう。せっかく一番親しくなれるはずのADタイプの人は、「あの人はBCタイプなんだな」と思い、あなたに近寄ってこないかもしれない。これではつまらない。

ときには、周囲の人と違っても、自分の思うことを主張する。そうすると、「私もそれに賛成だ!」という人は必ず現れてくる。自分の主張や自分の気持ちも大切にし、自分を好きな人は、感じがいいものである。

71

ちょっとしたルールづくりが、大きな面倒を防ぐ

「わが家の憲法」についてはすでに書いた。

「そんなことは面倒くさい」と思う人もいるだろう。会社に行けば、規則だ、前例がないなどといわれ、やっと家にたどりついたら家庭でまで「ルール」か。せめて家ではくつろいで、安らぎたい……。

気持ちはわかる。しかしこれは、ちょっとした面倒を怠けて、大きな面倒を引き起こしている。人間関係のルールづくりは、面倒なようでいて、実はそのあとがラクにつきあえる便利なものなのだ。

スポーツにルールがなかったらどうだろう。まず、ゲームが進まない。すぐに乱闘になるだろう。子供の鬼ごっこや、簡単な遊びでも、みんなでいっしょに進んでいるうちに、自然にルールが生まれてくる。そのほうがスムーズに運ぶからだ。

私は精神科医として、さまざまな家庭を見てきた。その結論は、家族に必要なのは

「愛情」と「ユーモア」と「ルール」である。このどれが欠けていても家族に問題が起こってくる。きちんとしたルールをつくる努力をしなかったばかりに、大きな問題を引き起こす家庭もある。

「ルール」には、自然にできあがった暗黙のルールとなっているものもある。また、お互いに思っていることが違ってぶつかった結果、「それじゃあ、こういうことにしましょう」と決まるルールもある。ぶつかったときに、あいまいにそのままにしておくのはよくない。心の中では大きな不満を抱えたまま、一方的に合わせていくのもよくない。

もちろん、ルールは変化する。一回決めたら、ずっとそのままでなくてもいい。子供が大きくなってきたから変えるというルールもあるだろう。

恋愛関係でも同じだ。親しくつきあう人と人には、必ずルールが生まれる。「電話は一時間以内」というようなルール、「掃除は交代で」というルール。この「ルールづくり」のセンスに欠ける人は、人間関係をつくるのがヘタな人だろう。むずかしいことではない。いろいろと話し合って決めればいいのだ。

72

「好きなことをしている人」に嫉妬する人のホンネ

自分の好きなことをするのは何でもかんでも「わがまま」だ、と思う人がいる。こういう人は、みんなの「好きなこと」が同じだと思ってはいないだろうか。しかし、人の「好き」なことは、人それぞれである。あなたの「好き」なことが、相手も「好き」とは限らない。あなたの「イヤなこと」が、他人の「好きなこと」の場合だってある。

たとえば、あなたは、カラオケで歌うのが大好きだとする。本を読むのは大嫌いだとする。けれども、「自分の好きなことばかりしている」と罪悪感を感じて、たまには「イヤなこと」もがまんしてしなければならないのだと、いやいや本を読む。

ところが、だ。本を読んで勉強するのが大好きで、カラオケが大嫌いな人だっている。こういう人が、今度は「自分の好きなことはがまんして、イヤなことをしなければ」と思って、本を読むのを抑えて、必死にカラオケに行く。これではバカバカしい

ではないか。

なぜ、みんなが自分のやりたいことをがまんして、イヤなことをしなければならないのか。それより、カラオケの好きな人カラオケにいって、本が好きな人は本を読んで、お互いに好きなことの専門になったほうがずっといい。

好きなことをして、楽しく満足している人は、他人にイヤなことを強制しようという気持ちにはならない。押しつけがましさがなく、楽しそうで感じがいい。

しかし、イヤなことをいやいやしている人は、好きなことをしている人を見ると、「おまえも好きなことばかりしていないで、がまんしてイヤなことをしろ」といいたくなるのではないだろうか。このほうがよほど迷惑だ。みんなで手を取り合ってイヤなことをするより、みんなが好きなことをしながら手を取り合うほうがいい。

みんなが自分の好きなことを楽しくやっていても、誰もが家に閉じこもってしまうこともないし、カラオケ屋に人があふれて足りなくなることもないだろう。世の中にはいろいろな「好き」があるのだから。

しかし、自分の好きなことをするのに罪悪感を感じる必要はないのである。

73

この「何となく感じるプレッシャー」が曲者だ！

ボランティア活動を懸命にやっている人がいる。

ボランティア活動をするよりも、遊園地で遊んでいるほうが楽しい人もいる。

しかし、遊園地好きな人は、ボランティア活動をしている人に、何となく「プレッシャー」を感じるものらしい。私も遊んでばかりいないで、ボランティア活動をしなければならないのではないか、と思う。せめても義援金を送って、自分の心をなぐさめたりする。

私はそれでいいと思う。自分の気のすむようにすればよい。それがきっかけとなって、ボランティア活動に関わっていく人もいるだろう。そして、実は遊園地で遊んでいるよりずっと楽しいと気がついて活動する人がいるかもしれない。

しかし、だからといって、やらなくたっていいのである。あなたのイヤなことを必死にやっている人がいても、「私も、やらなければならないのだろうか」と悩む必要

はない。その人はその人で、好きでやっていることである。ボランティア活動をしない自分に罪悪感を持つ必要はない。

一番よくないのは、自分のプレッシャーをはねのけるために、好きでボランティア活動をやっている人を責めたりすることだ。

「キミは自己満足のためだけにやっているのだ!」

などといって、その人をおとしめ、「自分がボランティア活動をやらなくても悪くない」ことを証明しようとする人がいる。どうも自分が「責められている」気分になるらしい。誰も責めてはいないのだが、過剰反撃し、ボランティア活動にいそしむ人をバカにしたり、悪人扱いしてしまう。彼らは、ただ好きでボランティア活動をしているだけなのに。

「自己満足」の何が悪いのか。

みんな、自分が満足するように生きればよい。それぞれが自己満足すれば、こんなにけっこうなことはない。大いに自己が満足するように生きましょう。ボランティア活動で自己満足する人はボランティアに精を出し、遊園地で自己満足する人は遊園地で満足する。そしてお互いに、相手の自己満足を責めたりしないことだ。

74 仕事も恋愛も——常に「自分の守備範囲」を明確に！

「自分の好きなこと」を楽しくする。

これとともに、「自分の仕事の領分」を懸命にすることも大切だ。

八百屋さんは野菜のことに詳しくなって、野菜を懸命に売る。コーヒー屋さんはコーヒーの専門家になって、少しでもコーヒーが売れるように努める。郵便屋さんは郵便のシステムに通じるように勉強し、農業の今後については農業の専門家が考える。

こうして、それぞれの専門家が〝プロ〟として自分の分野を懸命にやっていれば、

「コーヒーのことはコーヒー屋さんに聞こう」

「郵便のことは郵便屋さんにまかせるのが一番いいだろう」

という信頼が生まれる。

自分の領分はがんばってやっているという誇りがあれば、他人の領分も尊敬できるし、自分の分野ではないコーヒーのことに詳しくなくても恥ずかしくはない。

反対に、自分の分野がコーヒーなのに、八百屋さんのほうがコーヒーについて詳しかったら恥ずかしく思うべきである。不勉強を恥じて、謙虚に自分の仕事をきちんとできるようにいそしむのがよい。

この「領分」感覚がむちゃくちゃになっている人は困り者である。他人の領分にやかましく口を出すわりに、自分の領分の仕事がきちんとできない。

「そんなコーヒーの売り方じゃダメだ」

などといって、自分のうちの野菜はちっとも売れてない、ということになる。

「あなたの領分」はどこからどこまでか。これをはっきり自覚しよう。専門家の領分にズカズカと踏み込んで自説を主張すれば、相手はいい感じを持たないだろう。相手のホームグラウンドに入るときには、それなりのマナーが必要だ。

自分の領分をちゃんとやっている人は、このマナーがよくわかる。自分の領分に誇りを持てるようになれば、おのずと他人の領分も尊重できるようになるものだ。このことは仕事に限らない。恋愛でも何にでもあてはまる。そういう人は、感じがいい。

75 同じ「謝る」のなら、こんな〝前向きな〟方法で!

心臓に毛が生えている、といういい方がある。

厚顔無恥《こうがんむち》な人もあちこちで見かける。

どちらも「傷」とは無縁のようだが、反対に、やたらと傷つきやすい人も困りものである。

マンションの隣の部屋に風鈴がつってある。風の強い日が続き、これがうるさくて眠れない。こんなとき、

「最近、風が強くて風鈴の音がうるさいので、おろしていただけないかしら」

といったとしよう。

厚顔無恥な人は、

「なによ、感じが悪い。風鈴くらいでうるさいわね。絶対におろしてやるもんか」

とジャランジャランと風鈴を鳴らしっぱなし。隣の人が眠れなかろうが迷惑しよう

が、おかまいなしだ。そういう人もいるだろう。

一方、傷つきやすい人は、風鈴ひとつくらいのことで、この世の終わりかというほど恐れいってしまう。

「すみません、すみません、本当にご迷惑おかけして……」

と、完全な平謝り。こうなっては、こちらのほうが困る。そして、

「お隣の人に『うるさい』といわれた。私のことを勝手な人間と思ってるんだわ。完全に嫌われた。もう、イヤになる!」

と閉じこもってしまう。翌日あいさつしても、表情がぎこちない。すっかり傷ついてしまっている。これではこちらも、うかつにものがいえない。

さて、感じのいい人はどうだろう。

「あら、ごめんなさいね! 気がつかなかったわ。そうね、最近、風が強いもの、うるさかったでしょう、すぐおろすわ」

と笑っていえる人。これが一番感じがいいのではないか。お互いにさわやかにいいたいことがいえて、あっけらかんと受けとめて、直すところは直せばよい。

76 それは本当に「そのやり方」一つしかありませんか？

「たくましい」というと、何がなんでも自分の思いどおりに突き進み、敵をなぎ倒し……という「強さ」を思い浮かべる人がほとんどだろう。

しかし、「これしかない」「私にはこの道しかない」……こうかたくなに思い込んでしまうと、他の道が選べない。その一本道がいきづまったときには、玉砕である。突き進んでいくうち、前に崖があっても、そのまままっすぐ進んで海に落ちてしまう。

「他にも道はある」ということが見えないのだ。一見、信念があって「強い人」のようだが、そうでもない。意外にもろいのである。

行き止まりになったら、ちょっと戻って、他の道を探してみる。Aの道がいいと思っていたが、Bで行ってみるか。まだ他にもCの道があるかもしれない。なかったら、ちょっと草を鎌で刈ってDの道をつくるか。これでいいのだ。道はいくらでもあるし、いくらでもつくれる。

悩みの袋小路にはまってしまった人、行き場がなくなって自殺してしまった人。そんな話を聞くたびに、私は、

「もうちょっと他の方法を考えて、たくましく生きなさい」

といいたくなる。

正当な道で生きられなければ、ズルをする方法もある。ちょっとくらい「抜け道」を通ってもいいではないか。

「たくましさ」とは、「とにかく生きる」ことではないだろうか。融通のきく人こそ、本当にたくましい人だ。決して頑固な強さとは違う。私は「たくましさ」に生命力を感じる。「とにかく生きる!」という生き生きしたパワーを感じる。

「あれはいけない」「こうしたら人様に迷惑だ」と小さくなって、あっちにもこっちにも進めずに煮詰まって、悪いこともせずに清廉潔白《せいれんけっぱく》でも、なんだか死んだように生気のない人もいる。

それより、多少は人様に迷惑をかけることがあっても、そのつど謝りながら、たくましく楽しく生きている人のほうが感じのいい人に見えるが、どうか。

77 「誰にもわかってもらえない」と拗ねる前にすべきこと

あるとき、Oくんという男性が困りきった顔で、こんな話をした。

長年の友人のP子さんが、最近様子がおかしい。電話しても話してくれないし、自分に怒っているようだ。理由もいわないので、さっぱりわからず、とうとう、

「何か、オレが気づかずに悪いことをしたのだったらいってくれ」

と聞いたのだそうだ。すると、P子さんがいうことには、

「私が落ち込んでいたときに心配してくれなかった」

という。P子さんは、最近、仕事や恋愛がうまくいかず、すっかり元気をなくしていた。そんなとき、ちょうどOくんは仕事で昇進して忙しく、P子さんの悩みをゆっくり聞いている時間がなかったのである。

それをスネてしまった。これはたいへんなわがままお嬢さまである。人にはそれぞれの事情がある。誰もがP子さんの一挙一動を心配しているわけではない。Oくんに

も自分の生活がある。そんなことでいちいちご機嫌を損ねられたのではたまらない。

しかし、Oくんは実にやさしい青年で、自分の気のきかなかったことを謝り、関係を回復したという。しかし、P子さんの落ち込みは回復せず、周囲の人を心配させている。みんなが「食事でもしようよ」と誘うのだが、P子さんは「いまはとてもそんな元気がない」といって出てこない。

それならそれでいいが、みんなが心配しないと怒ってしまうのだから、周囲もたいへんである。

人間、落ち込んで元気のないときもある。

「いま悩んでいるの。話を聞いて」「たいへんなことがあって落ち込んでるんだよ」と友人としゃべるのは普通のことだ。「私を心配して」「私をかまって」「私に注目して」といいたいのなら、そういえばいい。

しかし、何もいわずに「わかってくれない」とスネていたり、心配させるだけ心配させて閉じこもっているというのは面倒である。赤ん坊ではあるまいし、口があるのだから、ちゃんとしゃべって伝えるのが大人の関係である。自分の気持ちや伝えたいことを、素直に、率直に、そして感じよく伝えられるようになりたいものだ。

78 「いたしかたなくやってしまった」という言い訳に注意！

「よい子が突然、家庭内暴力を起こす」などというように、「よい子」や「優等生」が危険視されるようになって久しい。たしかに、親の目に縛られて、ずっと「よい子」をやっているのでは、いつか無理がくる。

突然、「よい子」が暴れ出したり、犯罪を犯したり、問題になる例は多い。しかし、

「どうも、あまり『よい子』というのはよくないらしい」

と思って、子供を悪い子に育てたほうがいいのか。

もちろん、そんなことはない。

「よい子」も「悪い子」も、要するに「子」なのである。いつまでも「子供」であるのが問題なのであって、「よい」か「悪い」かはどちらでも同じこと。二〇歳すぎても「よい子」だの「悪い子」だのやっているから楽しくないのであって、早く「子」から脱してしまえば一番いいのである。

大人になっても「よい子」をやっている人は多い。一方、大人になっても「悪い子」をやっている人もたくさんいる。いわゆる「ワルぶる人」というのがそれであろう。「ワルぶっている人」は「よい子」タイプとくっつきやすい。子供同士で気が合うのである。

酒を飲んで暴れ、奥さんにイバリちらす「悪い子」男や、浮気っぽくて女の人を泣かせてばかりの「悪い子」男。それを泣きながら世話している「よい子」妻、黙っておとなしくついていく「よい子」恋人などは、よく見る組み合わせだ。

「子供」でいるうちは、自由度が小さい。自分でよくなったり悪くなったりさえできないのである。いたしかたなく悪いことをしてしまったり、どうがんばってもよいことしかできなかったりする。融通がきかない。

自分で「よいこと」や「悪いこと」を選んで決められるようになれば大人である。そして、「大人」なら、よいにせよ、悪いにせよ、信頼関係を結べる可能性がある。「いたしかたなく」何かをやってしまう人は、いつ、何をするか、自分でもわからないのだから、他人にはなおさら信用できない。しかし、その人が考えあって決めることなら話し合う余地がある。このほうが感じのいい大人といえるだろう。

79 せっかくの好意を自分から拒否している「モテない人」

劣等感は、誰にでもある。

ひとつも劣等感を持たない人間などいない。しかし、「自分の劣等感とつきあっている」人と、いろいろな不幸を「自分の劣っている部分のせいにしている」人はいる。

たとえば、

「女なんてみんな、ハンサムで背が高くて金を持っている男に集まるバカなんだ」

こんなふうに、いじけてひがんでいる人に、「とても感じがいい」と思って好意を持つ人はいないだろう。

人間にはいろいろな長所があるから、他の長所を認めてくれる人はいるはずだ。しかし、せっかくそうやって好意を持っても、本人がいつまでも「オレの顔はパッとしない……」「自分は背が低いから……」「私の給料では……」といっていたら、相手だって、いい加減になぐさめ疲れてしまうだろう。

「もういいわよ、いつまでもそうやってひがんでなさい！」

という結果になるだろう。

そして、恋人に愛想をつかされ、ふられると、

「ああ、やっぱり、女はエリートじゃなくちゃダメなんだ。オレみたいな平凡男はどうせふられるのさ」

と勝手に納得する。恋人が愛想をつかしたのは、彼が「平凡な男ではないから」ではなく、彼が「エリートではない自分をいつまでもいじいじとひがんでいるから」である。そんな人と一緒にいても楽しい気分になれないからだ。彼がいじけるから、いつも気を使っていなければならない。

みんな自分自身の劣等感の面倒を見ているのに、いつまでも他人の面倒ばかり見ていられるはずがない。

劣等感は誰にでもある。どんな偉い人にも、どんなすごい人にもある。別に、「劣等感をなくそう」と思わなくてもいいのである。ただ、何もかもそのせいに結びつけるのはやめよう。それより、もう少しいろいろなことを、自分の幸福に結びつけて考えてもいいではないか。

80

そういうのを「コンプレックスの裏返し」って言うんです

「コンプレックスを乗り越えろ」という。

劣等感をバネにして、負けたくやしさを糧《かて》にして努力する。苦手だったものに挑戦し、克服して、逆にそれが特技になる人もいる。こうなれば、もう「劣等」とはいえない。それはすばらしいことである。

しかし、私はここでひと言いっておきたい。無理して乗り越えなくてもいい、と。

Qさんは、子供のころ、身体が弱く、大きくて強いガキ大将に勝てなかった。外で遊ぶときには、いつもみそっかす。けれども本を読むのが好きで、勉強ではいつも一番だった。いい大学に入って、エリートコースを歩むQさんは、「頭の悪いバカども」を非常な勢いでののしり、バカにする。「弱いもの、劣ったもの」を毛嫌いする。

これでは、自分がバカにされてくやしかった気持ちを、今度は他の劣った人をバカにし返して、「オレは強くなったぞ！」とカン違いしているだけではないか。自分よ

りもっと弱そうな人を見つけてイバって、屈辱感を晴らしているだけではないか。

こんな迷惑な話なら、乗り越えてもらわないほうよっぽどがいい。

Qさんは、いまだに自分の劣等感には悩まされている。弱い人を見つけて弱いものいじめをしていないと、自分の弱さを思い出してしまう。必死に自分の「強さ」をまきちらし、弱い部分を守ろうとしている。これでは感じが悪い。

自分の「弱さ」や「劣っている部分」にこだわりが少なくなる。これが本当に「乗り越えた」ということである。劣っている部分を練習して上手になって、ようやくこだわりから逃れられる人もいる。劣っているところはそのままだが、他に自分の長所を見つけて、劣っている部分が気にならなくなる人もいる。「まあいいや、オレはこんなもんだし、これで十分いい人生だ」と、劣っているままに楽しくやっていける人もいる。こういう人たちは、みんな「乗り越えて」いる。

自分の弱さや劣等部分に、あまり熱中しないでほしいものだ。こだわらない人のほうが、ずっと感じがいい。ただ、いったんとことん熱中すると、すっきりこだわりから抜けることもある。こだわりの強い人は、これでもかというくらいこだわるのもよいと思う。

81

もっとずる賢く、たくましい「出る杭」になってみよ

「出る杭は打たれる」という。

特に日本ではその傾向が強く、みんな同じにしよう、横並びにしよう、とするので、個性が伸びないという。

しかし、「さあ、もっと個性を伸ばしましょう」「みんな違うことをしてもいいのよ」といって、出る杭を伸ばしてあげましょうというのもおかしな話である。そんな環境で伸びてくる個性など、たいしたことないはずだ。

出る杭は、打たれてあたりまえなのである。打たれても打たれても、自分の個性を失わず、すきをねらってまた出ようとする。また打たれると、もっと工夫をこらして、また出る方法を考える。これが個性を形づくっていく。さまざまな工夫しながら、だんだん自分のいいたいことをいえる状況をつくっていけばいい。時間はかかる。しかし、その時間を耐えられるのが、本当にパワーのある人だ。

「なんで日本人は出る杭を打つんだよ！　これだから日本はダメなんだ！」

と文句をいっている人は、打たれずに出ていけるやさしい環境を、誰かが用意してくれることを望んでいる。それでは横並びの杭の一本である。

日本はたしかに、「出る杭」を評価しない傾向がある。お互いの目を気にし合い、かばい合い、縛り合って生きている。そこから抜けたら、なかなか生きていくのがむずかしい。

しかし、私は思う。こんな日本だからこそ、そこから出てくる杭は、すばらしく強い個性を持った杭になるのではないだろうか。横並びで、みんな同じで、なあなあでごまかして、そうしなければ生きていけない社会で、あきらめずに自分を守り続けて伸びていける杭は、すばらしく生き生きとした生命力を持っているはずだ。とても楽しみではないか。期待してよい。

もちろん、「ここまで」と思った人は、その時点であきらめたってよい。

「ここまで伸びるのが、私には精いっぱいだった。でも、精いっぱいやったから、これが私の個性ということでやっていこう」……これでいい。それぞれ自分の無理のないところまで伸びてみればいいではないか。

82

ラクして目立ちたがる人は、結局ほとんど目立たない

人と違うことをするのが「個性」ではない。

たとえば、学校の体育の時間。みんなが跳び箱をやっているときに、反抗して、ひとり運動場の片隅で笛を吹いている。今度は、美術の時間に、みんなが絵を描いているのに、ひとりで鉄棒にぶらさがっている。これはたしかに「変わった人」ではあるが、「変わっている」ことが「個性」かというと、そうはいかないのである。

さて、書道の時間。みんなが「誠実」という字を書く課題を与えられ、同じように半紙に向かって「誠実」と書く。ところが、その「誠実」の字は、ひとりひとり、みな違う。それが「個性」というものだ。

「自分の好きなことを書きなさい」といわれて、みんなが自由に文字を書くとする。すると、「正直」と書く子供がいるかもしれないし、「情熱」と書く子がいるかもしれない。そこにもまた個性は出てくるだろう。そういう個性の表し方も大いにけっこう

だ。

しかし、「違うこと」をやって目立つことは、案外簡単である。体育の時間に笛を吹いたり、美術の時間に鉄棒をやったりして目立つほうがラクである。

ところが、みんなが「誠実」と書いている中でキラリと目立つのはむずかしい。同じことをやっていても、平凡なことをやっていても、そこに個性がにじみ出てくる人、これが本当の「出る杭」なのである。

自己主張が激しくて嫌われるタイプの人は、ラクな目立ち方をしたがっている人かもしれない。みんなと同じことをしていたら埋もれてしまう。それが怖くて声高に叫んでいる。こういう人もたくさんいる。

同じことをしろ、というのではない。違うことをしてもいいのである。違うことをしてもいいが、同じこともできる。同じこともできるが、違うこともできる。他人に合わせることもできるが、自分の道を貫くこともできる。ときには周囲に嫌われても自分の好きなことを通すが、ときには自分のやりたいことをがまんしてもみんなの好きなことをいっしょにやる。

これができる人は、間違いなく、感じのいい人である。

83

好感を持たれる人は、「尽くす」のも「尽くされる」のも嫌い

R子さんは、あるとき、恋人の男性に、

「キミのように、尽くされることに専念する女は初めてだ」

といわれた。R子さんは、特に「尽くしてくれ」と求めていたわけでもないので、

「あら、イヤなら無理に尽くしてくれなくてもいいわよ」

といった。すると彼は、

「ボクは尽くすのがイヤなわけじゃない。尽くすのは好きだが、尽くされるのも好きなのだ」という。しかし、R子さんは、どうも彼にそれほど「尽くされた」覚えがない。何を尽くしてくれたのか聞いてみると……。

「夏、日焼けしたときに、背中の皮をむいてあげたじゃないか!」

「それなら、私もむいてあげたわよ」

「でもキミは、むきたくてむいてるんだよ!」

「そうよ、日焼けした背中の皮をむくの、楽しいじゃない」

「だろう？　きみはうれしそうにむいているんだよ。ボクは違う。ボクはキミのためを思って、キミの背中が汚くならないように、キミの背中のためを思って……」

ちょっとバカバカしいのだが、これでは、R子さんは永遠に尽くせない。彼の考えでは、ふたりで食べる料理を楽しくつくり、うれしそうに部屋を掃除し、背中の皮をむきたがっているうちは「尽くしていない」のである。「やりたくてやっている」からだ。そんなバカな話があるだろうか。

「尽くす」という言葉は「ギブ＆テイク」となじみの悪い言葉なのだろう。「尽くす」は「ギブ＆ギブ＆ギブ＆……」なのである。その行動から何かを得ていたら、それはもう「尽くした」ことにならないのだろう。彼といっしょにいることが「楽し」かったらもうアウトだ。それは「テイク」しているからカウントされないのである。

こんなおかしなことは、もうやめたらどうなのか。「尽くす＆尽くされる」はお互い楽しくなさそうだ。いずれ、破綻《はたん》を迎えるのではあるまいか。

「ギブ＆テイク」のほうが、独立した人間同士の信頼関係がイメージできる。ずっと感じがいいと思うが、どうだろうか。

84

「感じがよくなる」プロセス ——この〝判断基準〟が欠かせない！

「これもみんなあなたのため」というのが「尽くす」なら、「これもみんな自分のため」というのが「ギブ&テイク」である。

「これもみんな自分のため」というと、自分勝手な人と感じるかもしれないが、いままで説明してきたように、そうではない。いろいろなメリット、デメリットを総合判断した上で「やりたい」ことを決めていれば、「自分ひとりのためだけ」という結論には決してならない。「自分だけ」のことを考えた行動は、結局、あまり自分のメリットにならないからである。つまり、「自分のため」を大切にできる人は、結局「相手」も「みんな」も大切にできる、感じのいい人なのである。

「相手のためを思いやるのは、そのほうが私もうれしいから」

「自分だけがよくても、相手が楽しくなかったら気分が悪い」

「自分の気がすむから、自分が満足するから、そうしたいのだ」

「これもみんなあなたのため」という人の中には、どうも「自分のため」にやっていることまで「相手のため」と恩着せがましくなってしまう人が多いのではないか。

その点、「自分のため」にやっている人は、恩着せがましさがない。自分がイヤならさっさとやめるから、いちいち気を使う必要がない。「本当はイヤなのに、私のために無理してやってくれているのではないか」と、こちらが心配しなくていい。その人がやっているからには、「やりたいから」なのだ。「私もお返ししなければ」という心の負担がない。「私が何かしてあげなければ」と思う必要もない。ほうっておいても十分に楽しそうにしている。他人に「求めて」いないのである。

この人がいると、なんだか力づけられ、元気になり、自由な気分になり、楽しくなり、豊かな気持ちになれる。心がウキウキしてくる。その人はいつも十分に「テイク」して満足している。「いつか取り返そう」という気持ちはない。しかし、こちらから与えるものも、ちゃんと気持ちよく「受け取って」くれる。受け取りベタな人ではない。

与え上手で受け取り上手、これが一番感じがいいではないか。

85

この「リアクションの一言」に、少し感情を込めて言う効果

感じのいい人は、「聞き上手」である。

聞き上手な人は、相手にエネルギーを与えている。

話を聞いてもらうと、心がスッキリする。たとえば悲しい話、くやしい話、困った話などだ。ひとりで考えていたらイライラしたり、いつまでも悲しい気分が晴れない。こんなときに誰かに聞いてもらえば、それだけで胸がスーッとする。「聞いてもらう」だけで楽になるのだ。

私も、患者さんに会うときにこれを心がける。患者さんがいうことをよく聞き、そのまま同調する。

「ゆうべは眠れなくて、今日は疲れて眠くてしかたありません」

「ああ、眠れませんか。それはおつらいでしょう」

と、感情をこめて反応する。こちらがちゃんと聞いていることが相手に伝わらなけ

ればダメだ。少しオーバーなくらいにあいづちを打つ。

「先生と五分お話をすると、二週間はもちます」

と、うれしいことをいってくださる患者さんには、

「それじゃあ、ボクの写真をあげますから、枕元に飾ってぐっすりお休みください」

と冗談をいうこともある。

私はよく、「嫁と姑は名優であれ」という。人間関係には、いい意味での演技力、パフォーマンスが必要だ。俳優か女優になったつもりで、「おお、それはすごい！」と大げさにびっくりした顔をする。「たいへんなご苦労でしたねえ」と同情する。

相手が気持ちよく話せるように、こちらも会話に乗っていくのが聞き上手だ。笑いに治療効果があるように、人に話を聞いてもらうことにも治療効果があるわけだ。

ただ、精神科の患者さんの場合は、自分ばかりしゃべってしまう人が多い。これでは、話を聞いてくれるのは医者だけ、ということになってしまう。相手の話をよく聞き、お互いに聞き上手になりたいものだ。

86

「始めの一言」に、ちょっとパフォーマンスをするだけで――

「聞き上手」とくれば、「話し上手」もある。

話し上手な人の話は聞いていておもしろい。耳を傾ける気になるものだ。話しベタな人の話には、ついうわの空になり、他のことを考えてしまったり、居眠りしてしまったりする。どこが違うのだろうか。

まず、やたらにむずかしい言葉を使う人はよくない。わかる人同士で話しているならいいが、相手の知らない専門用語や業界用語、カタカナ言葉を連発しても、ちっとも耳に入らない。「あの人の話、わけがわからなくてつまらないし、疲れるわね」ということになる。

私が講演会で気をつけるのも、この点だ。たとえば、「脳」をテーマに話をする。最近の脳の研究はどんどん進んでいる。私も懸命に勉強するが、医者が使うような専門用語を使っても、多くの人にはわからないし、興味もないだろう。そんなとき、ち

よっぴりパフォーマンスをする。

「はて？　何をしゃべろうとしたんだっけ。さっきまで覚えていたのですが……」

するとみなさん、「おや？」とこちらに注意を向ける。

「年のせいですか、物忘れがひどくなりました。脳の細胞は五〇億ほどあるらしいのですが、一日に一〇万個ずつ減っていくらしい。ボクの年齢では、もう三〇億ぐらいに減ってしまったでしょうね」

「脳」というので、むずかしい話をしゃちほこばって聞かなければならないかと思って緊張していた人も、これで安心して耳を傾けるようになる。

脳の細胞は、そんなにどんどん減っていくのか。これは私もウカウカしていられない。私の脳細胞はどれくらい減っているのか、と興味津々になる人もいるだろう。

自分の都合だけをベラベラしゃべっても聞いてはもらえない。相手はどんなことに興味があるのか、気持ちよく聞いてもらうにはどうしたらいいのか、相手の立場になって考えられる人が話し上手だ。

「また、あの人のおもしろい話を聞きたいわね」

と思われるようになりたいものだ。

87 「ギブ＆テイク」——こんな「勘違い」をしている人が多すぎる！

「私はあなたにこれだけのことをしたわ。さあ、同じくらい私に返してよ」

こういうのが「ギブ＆テイク」だとカン違いしている人はいないだろうか。これではギブ＆テイクというより、強奪するために、まずエサをまいているようなものである。

「テイク」の中身にはいろいろある。たとえば、「その人といっしょにいると楽しい」。これも「テイク」だろう。いっしょにいて楽しければ、それだけで得をした気分だろう。

「彼においしい料理をつくってあげて、喜ぶ顔が見たい」

これは、料理をつくるというギブがあって、彼がおいしそうに食べる顔を見て私もうれしいというテイクがある。

「私は料理をつくったのだから、あなたもお返しにつくれ」

というのが「ギブ&テイク」ではないのだ。

与えるのが楽しくて、与えることで自分も十分に得ている。だから与えるのだ、という気持ちでギブする人は感じがいい。決して強奪的ではない。

もしも、ギブするのがちっとも楽しくないのなら、やらないほうがいい。「得て」いるという満足感がないのに無理していると、「ギブ&ギブ&ギブ&……」になってしまう。与えても与えても、あなたからは何も返ってこない。こんなに尽くしているのに、なぜあなたはわかってくれないの、という「恨み節」になってしまう。

得るものもないのに与え続けるのは、別にりっぱなことではない。それがりっぱだと信じて無理してやっているうちに、強奪したくなってくる。「私は与えてばっかりだ」と感じる人は、実は一番強奪的なのである。心のどこかで「いつかは返ってくる」と期待している。それが返ってこないとわかったとき、「与えたぶん、返せ!」と叫びたくなる。

「ギブ&ギブン」という言葉もある。「ギブ&テイク」は「与え、そして得る」だが、「ギブ&ギブン」は「与え、そして与えられる」である。これはいい言葉だ。

88

イヤな顔をされたときこそ、「その人の個性」を知るチャンス

「何に傷つくか」は、人によって違う。

ある女性は、中学生のころ、友人があまりにもきれいなので、思わず「きれいねえ」と感心すると、「やめて！　そんなこといわないで！」と泣かれてしまったという思い出があるそうだ。本人はほめたつもりが、まるで「いじめ」のようになってしまったわけだ。

美女にこのあたりの心境を聞いてみると、ある美女は、女性に「あなたは美人ね」といわれると、仲間はずれにされたような気がするという。

またある美女は、小さいころから、あまりに外見をほめられるので、「あなたにはそれ以外に取り柄はない」といわれているようで、悲しくなるそうだ。

外見は、まっさきに目につく美点なのでどうしてもほめてしまう。ほめるほうには悪気はない。自分もあんなに美しかったらどんなにうれしいだろう、「あなた、きれ

いね」と私もほめられてみたい、などと思うのが普通だ。自分がいわれたいから、相手も当然うれしいだろうと思ってほめるのだが、これがカン違いなこともあるわけだ。

こうやって、「ああ、ほめたつもりでも、必ずしも相手が気分がいいとはかぎらないのだな」と知る。人づきあいは、それぞれの「個性」とつきあうことだ。Aさんは何を喜ぶか、Bさんは何が好きか、Cさんは何をイヤがるか。すべて違う。一般的なマニュアルは通用しない。

だからといって、「どうしよう、ほめたら気分が悪いかもしれないから黙っていよう」とビクビクするのもおかしな話だ。相手の美点をほめるのは決して悪くはない。一般的に「よい」と思われることや、自分が「よい」と思うことで、まずほめる。これがつきあいの「始まり」である。

しかし、つきあっていくうちに、「きれいね」といわれるのをイヤがるらしい、と知る。そのときに、「ああ、そうなのか」と相手への理解を深めると、次に美女に出会ったとき、「そういうこともあるかもしれない」という思いがどこかにある。ささいなことだし、目にも見えない。しかし、その違いが「感じのよさ」となって表れるのである。

89 ここまで頭が凝り固まったら取り返しがつかない！

戦時中、軍隊には、ヒステリー患者がたくさん発生した。

前線からは、たくさんのヒステリー患者が送られてきた。あたりまえである。誰だって死にたくない。生きたい。しかし、あのころは、そんなことは口にできなかった。「お国のために死ぬ」のがよしとされ、勇敢に死に向かっていくのが軍人の務め。「死にたくない」などといえば、周りの人にののしられる。無理してりっぱな軍人であろうとがんばっているうちに、身体のほうが防衛反応を起こしてしまう。

ところが、私たち精神科の軍医はカルテに「ヒステリー」と書くことを禁じられた。「いやしくも、帝国軍人がヒステリーなどという軟弱な病気になるわけがない！」

というのである。さて、どうするか。

私のいた陸軍病院では病院長以下軍医全員で集まって相談した。何か別の病名をひねり出すためである。そこへ誰かが「臓躁病《ぞうそうびょう》」というのを見つけてきた。中国の文献

に出ている言葉だという。

これはいい。それ以来、ヒステリー患者はみんな「臓躁病」の名前をつけておいた。これで陸軍省からは何もいってこなくなった。バカバカしい話である。

ヒステリーは、日本軍だけでなく、アメリカ軍にもたくさん発生した。私の先輩は、戦後、満州に進駐してきたソ連の軍医と話したとき「ソ連はどうでしたか?」と聞いた。すると彼は、真顔で答えたそうである。

「わが軍にそんな軟弱な病気はない」

私はこういう人たちを「カンカン頭の朴念仁《ぼくねんじん》（木念人）」と呼ぶ。俳人の荻原井泉水《おぎわらせいせんすい》の「豆腐」という随筆に出てくる言葉だ。カンカン頭の朴念仁には、豆腐のような柔らかさがない。「ヒステリー、イコール軟弱」「わが軍は、軟弱であってはならず」「よって、わが軍にヒステリー患者はいない」と固く信じている。現実にはいるのだが、カンカン頭の朴念仁には、現実が見えていない。

現実が見えなければ、現実に対処できない。カンカン頭は適応力を失い、危険な道を突っ走る。こういう人間は一番の困り者である。

90

「理想」と「現実」のギャップは楽しむくらいでちょうどいい

これと反対に、「臓躁病」などという病名を発見した軍医たちは、なかなか頭の柔らかい対応をしたと自負している。

私も一度はうっかり正しい病名を書いてしかられた。そして「ヒステリー」は、まかりとおらぬ、ということを知った。本来、ヒステリーとは精神科の病名である。医者が診断をくだすことだ。しかし、そんなことをいいはって生きていける時代ではなかった。

それでは、ヒステリーの症状を示している病人を、ヒステリーではないという診断をくだしたら、どうなるか。

ある兵隊は、急に軍隊からいなくなり、一週間後、フンドシ一本で松林に呆然と立っているところを発見された。その間、どこで何をしていたのか、まったく覚えていない。恐怖から身を守るために、記憶を失ったのである。これも「ヒステリー」だが、

そうは書けない。

けれども、病気でもないのに、一週間も軍隊から行方不明になったということになれば、「敵前逃亡」で銃殺刑だ。そこで「臓躁病」である。軍医は「病気」の診断がくだせる。病人は銃殺刑をまぬがれる。陸軍省も、臓躁病なら軟弱ではないからだいじょうぶ。三方、丸くおさまる。

いまの世の中は、こんな話が書けるのだから、実にいい時代である。しかし、いつの世にもカンカン頭の朴念仁はいる。「かくあるべし」「こうあらねばならない」「これはありえない」と、ものごとを考えていく。

「かくありたい」という理想を持つのはいい。「かくありたい」自分も持てないようでは大人とはいえないだろう。しかし、「かくありたい」自分と、「現実」の自分は違うことも知っていなければならない。

ヒステリーが続発したことから目をそらして「臓躁病」とごまかしてみても、本当の解決にはならないのだ。あの時代にはそうするしかなかったが、その時代が終わったら、そんな病名を捏造《ねつぞう》していたことを認めて、今度は、そんなことをしなくてすむ世の中をつくっていきたいものだ。

91 感じのいい人は、独自の「本音排出法」を持っている

戦争ヒステリーは、「戦争から逃げたい」「身を守りたい」という気持ちが生み出す病気である。戦争が終われば、そんな病気はなくなる。また、「病気です」という診断で、兵役が免除になったとたんにコロリと治ってしまった例もある。

兵役という義務を「病気」という形で逃れようとしているわけで、たしかにこれは軟弱である。陸軍省も、これをいちいち許していては戦争になるまい。

しかし「死にたくない」、これが私たち人間のホンネであることは、いくら陸軍省が否定しても否定しきれない。ホンネは抑えてみても、消えてなくなることはない。心のどこかにひそんでいて、思わぬ形でわきあがってくる。

たとえば、誰にも嫌いな人はいる。自分の都合どおり、思いどおりにいかず、腹が立つこともある。競争に負けてくやしいこともあれば、恋人にふられて悲しいこともある。怒ったり泣いたり叫んだりののしったりしたいことは、たくさんある。これを

がまんして、すべてを抑え込もうとしても、とうてい無理である。

「私は、嫌いな人などひとりもいません」

「怒ることなどございません」

と聖人・聖女のような顔をしてみたところで、自己中心的なホンネを無視して、「ヒステリー」を「臓躁病」とごまかしているだけではないだろうか。

だからといって、いつもホンネをいえばいいというものではない。それは、まるで素裸で大通りを歩いているようなものである。そうではなく、自己中心的なホンネは、無害な形で外へ出してやればいい。ホンネを排出する、自分なりの上手な方法を身につけていること、これこそ、感じのいい人間の条件といえる。

こういう本を書くことも、また、私の「自己主張したい」気持ちを満足させる。不満もホンネも何もなければ、書くネタがない。イヤなやつがいたら、「観察して本に書いてやろう」と思って気を晴らすこともできる。これはなかなかいいホンネ排出法ではないかと思っている。

92

世の中に、笑いをもって伝えられないことは何もない

第二次世界大戦中、イギリス軍はアフリカ戦線でロンメル将軍率いるドイツ軍に連戦連敗を続けていた。ある議員が国会でチャーチル首相にかみついた。

「こんなに負けが続くのは、指揮官が悪いからだ。指揮官を更迭《こうてつ》したらいかがか」

「では、新しい指揮官には、誰がふさわしいと君は思うのかね」

「そう、ロンメル将軍なら、よもや負けることはないでしょう」

日本だったらどうだろうか。自国軍が負け続けているたいへんなときに、敵の将軍を指揮官にしたらどうかというジョークはとてもいえまい。たちまち吊るしあげられただろう。うっかり冗談もいえない。

しかし、冗談というのは「カンカン頭」を柔らかくするのに一番効果がある。カリカリしているときは、他が見えない。ゆとりがなくなっている。ユーモアは、発想の転換だ。心配でいっぱいになった頭、怒りでいっぱいになった頭に、フッと風を吹き

込む。新しい風が緊張をゆるめ、そこに笑いが生まれる。

笑いを受けつけないほどのカンカン頭になっているときは、気をつけたほうがいい。

「こんな真剣なときに、何という冗談をいっているのだ、不謹慎な！」

こんなにまじめくさっていたら、見えるものも見えなくなる。ゆとりがなく、心も停滞して、やがては腐る。

アメリカの共和党のレーガン大統領は、銃弾に倒れたとき、医者に向かっていった。

「キミは共和党の支持者だろうね？」

民主党なら自分の命は危ない、というジョークだった。自分が撃たれたときにこんな冗談がいえる余裕に、レーガン大統領の何ごとにもへこたれない強さが感じられる。強さとはコチコチに固いことではなく、柔軟さ、ゆとりのあることなのだ。それを証明するかのように、これ以降、レーガン大統領の支持率が上がっていった。

みなさん、いっしょに笑おうではないか。つまらない冗談、きつい冗談、高度な冗談、たわいない冗談、どんどん連発して、つらいことも悲しいことも笑って吹き飛ばすのが一番だ。ユーモアのない社会、ジョークもいえない人間など、くそくらえである。

93
「感じのいい人」と「脳」には、こんな関係があった!?

「カンカン頭」は頭が固いことだが、身体が固くなって「カンカン体」になると、これは老化である。動脈硬化とは血管のしなやかさが失われて硬くなることだ。脳梗塞《のうこうそく》は脳の血管がつまる。脳がみずみずしさを失って萎縮していくと、アルツハイマーや痴呆症となる。皮膚も、年を取るほど、赤ん坊のような柔らかさがなくなり、硬くなってくる。

つまり、「硬化」は「老化」。頭が固いのは頭の「老化」なのである。老化すれば、どうなるか。その先には死が待っている。

固くなって老化したものは、だんだん生命力が失われ、逆境におちいっていくのだ。しかし、もともとカンカン頭の人は、逆境におちいるほど、「がんばらねば」とますます固くなってしかめつらをし、冗談でもいおうものなら、

「そんなことをいっている場合か!」

とはねのけ、さらなる窮地におちいっていく。

身体の老化防止には熱心でも、心の老化防止にはあまり関心を持たない人もいる。しかし、心も老化する。身体の若さを保つには、適度な運動をして筋肉が衰えないようにし、血行をよくして体内に新鮮な空気を送り込み、リフレッシュすることだ。

心も同じだ。常にリフレッシュし、若さを保っている人は感じがよく、いっしょにいて気持ちがいい。心の柔軟体操をするには、ユーモア、そして好奇心を持つことだ。生き生きと生活しているお年寄りを見ると、みな好奇心が旺盛だ。趣味を持ち、他人とのつきあいを楽しみ、社会にも関心を持ち続けている。年を取っても新しい刺激があるので、心の硬化を防いでいるのだろう。

これと反対に、自分ひとりの世界に閉じこもってしまうと、心が硬化する。もともと頭が固いから、いろいろな人とつきあうのがむずかしいのだろう。

閉じこもれば、心はリフレッシュしない。ますます頑固一徹になり、硬化して、老化する。適度な刺激は心の栄養剤だ。

94

「感じのよさ」は、知らず知らずのうちにあなたの人生をいい方向へ導く！

感じのいい人になるためには、自分の能力をよく知ることだ。

たとえば、みんなで川の向こう岸まで泳ぐ競争をしようということになった。しかし、自分の能力を考えて、泳ぎきれそうもなければ挑戦しないほうがいい。途中でおぼれては、かえって周囲に迷惑をかける。

しかし、自分では「泳げる」と思ったのだが、挑戦してみたら思った以上にたいへんだった、とわかる場合もあるだろう。途中で足がつるなどのアクシデントが起こっておぼれることがあるかもしれない。そんな人には、周囲も喜んで救いの手のさしのべるだろう。

けれども、自分自身が向こう岸までたどりつくのが精いっぱいの能力の人だったら、おぼれている人を助けるのはやめたほうがいい。二人ともおぼれてしまったら意味がない。周りの人の救助の仕事を、さらに増やすだけである。

さて、途中でおぼれた人も、助けようとしていっしょにおぼれかけた人も、経験することによって、自分に能力の限界を知る。そして、もっと泳ぐ練習をして力をつけたり、無理そうなときは他に助けを呼ぶことを覚える。

ところが……これを学習しない人がいるのである。自分が精いっぱいなのに、周りの人を助けたがり、いっしょに沈みそうになっては、「助けて! 助けて!」と泣きながら助けを求める。見捨ててはおけないので、みんなが寄ってきて、なんとか支えてくれる。

私はそういう人に、こういいたい。

「あなたが心やさしいのはもう十分にわかった。お願いだから、これ以上、無謀に人を助けようとしないでほしい。せめて、自分ひとりだけでも、無事に向こう岸に泳ぎつく力をつけてください」。

人間は、みなひとりひとり、自分で川を泳ぎきらねばならない。死にもの狂いで自分で泳ごうとしない人を、いちいち助ける必要はない。怠け者はほうっておきなさい。ときには見捨てる勇気も必要である。泣きながら一緒に沈んでいく必要はない。ひとりでも強く生き残り、向こう岸に渡りきる強い気持ちを持ってほしい。

本書は、新講社より刊行された『「感じのよい人」といわれる人 いわれない人』を加筆・再編集のうえ改題したものです。

企画・編集／㈱波乗社

斎藤茂太（さいとう・しげた）
医学博士。斎藤病院名誉院長。悩める現代人を安らぎにいざなう「心の名医」を務める一方、日本精神病院協会名誉会長、日本ペンクラブ理事、日本旅行作家協会会長など、いくつもの顔を持ち、執筆や講演活動など多方面で活躍中。
主な著訳書に『気持ちの整理　不思議なくらい前向きになる94のヒント』『「いい出会い」をつかむ人94のルール』『安らぎの処方箋〈カルテ〉たった1分、不思議なくらい自信が湧いてくる』『時間の使い方　うまい人・へたな人』『気くばりができる人　できない人』『人間的魅力の育て方』『「なりたい自分」になれる本』〈訳〉（以上、三笠書房刊《知的生きかた文庫》）などがある。

知的生きかた文庫

なぜか「感《かん》じのいい人《ひと》」ちょっとしたルール

著　者　斎藤茂太《さいとうしげた》
発行者　押鐘冨士雄
発行所　株式会社三笠書房
郵便番号一一二―〇〇〇四
東京都文京区後楽一―四―一四
電話〇三―三八一四―一一六一〈営業部〉
〇三―三八一四―一一八一〈編集部〉
振替〇〇一三〇―八―二二〇九六
http://www.mikasashobo.co.jp
印刷　誠宏印刷
製本　若林製本工場

ISBN978-4-8379-7409-0 C0136
落丁・乱丁本は当社にてお取替えいたします。
定価・発行日はカバーに表示してあります。

「知的生きかた文庫」の刊行にあたって

「人生、いかに生きるか」は、われわれにとって永遠の命題である。自分を大切にし、人間らしく生きよう、生きがいのある一生をおくろうとする者が、必ず心をくだく問題である。

小社はこれまで、古今東西の人生哲学の名著を数多く発掘、出版し、幸いにして好評を博してきた。創立以来五十余年の星霜を重ねることができたのも、一に読者の私どもへの厚い支援のたまものである。

このような無量の声援に対し、いよいよ出版人としての責務と使命を痛感し、さらに多くの読者の要望と期待にこたえられるよう、ここに「知的生きかた文庫」の発刊を決意するに至った。

わが国は自由主義国第二位の大国となり、経済の繁栄を謳歌する一方で、生活・文化は安易に流れる風潮にある。いま、個人の生きかた、生きかたの質が鋭く問われ、また真の生涯教育が大きく叫ばれるゆえんである。

そしてまさに、良識ある読者に励まされて生まれた「知的生きかた文庫」こそ、この時代の要求を全うできるものと自負する。

本文庫は、読者の教養・知的成長に資するとともに、ビジネスや日常生活の現場で自己実現できるよう、手助けするものである。そして、そのためのゆたかな情報と資料を提供し、読者とともに考え、現在から未来を生きる勇気・自信を培おうとするものである。また、日々の暮らしに添える一服の清涼剤として、読書本来の楽しみを充分に味わっていただけるものも用意した。

良心的な企画・編集を第一に、本文庫を読者とともにあたたかく、また厳しく育ててゆきたいと思う。そして、これからを真剣に生きる人々の心の殿堂として発展、大成することを期したい。

一九八四年十月一日

刊行者　押鐘冨士雄

知的生きかた文庫

話すチカラをつくる本
山田ズーニー

「説明上手になる方法」「自分の意見を100％通す話し方」「初対面でも信頼されるコツ」まで満載！　NHKで放映され大好評のメソッドを完全収録。

グーグル完全活用本
創藝舎

最強の検索サイト・グーグル。マイナス検索、OR検索といったワザから、画像検索、翻訳まで――圧倒的な情報量、検索精度を100％使いこなすテクニックを紹介！

もっと「きれいな字！」が書ける本
山下静雨

とにかく「字が上手くなりたい人」のバイブル！　このコツを知っているといないとでは大違い！　「字が上手な人は一生の得」を実感してください。

仕事の達人、27人の「手のうち」！ 手帳フル活用術
中島孝志

仕事の精度を高めるスケジュール管理術から夢実現のためのプランニングまで、必ず役に立つ「実践的」手帳術を豊富な実例と図解で紹介。

本がいままでの10倍速く読める法
栗田昌裕

電通支社長研修など多くの企業、学校、各地の読書会でも採り入れられ、その凄い効果が話題の「新しい」読書法。人生効率が大幅にアップ！

C50008

知的生

気持ちの整理
不思議なくらい前向きになる94のヒント
斎藤茂太

あなたにぴったりの「気分転換法」が見つかる！ つい、くよくよしてしまうとき、自分にちょっと自信がなくなったとき……に、一歩踏み出す勇気が2倍も3倍も湧いてくる！ 人生に〝いい循環〟がめぐってくる本です！

くよくよしない人の頭のいい習慣術
斎藤茂太

本書では、「生き方名人」モタさんが、人生を健やかに生きるためのコツを、具体的に、やさしく教えてくれます。元気が出る工夫、プラスの考え方、逆転の発想法……前向きになるための〝スイッチ〟がたくさん見つかります！

斎藤一人 人生が全部うまくいく話
斎藤一人

「嫌な気分がしても、すぐスっとした気分になる」「最高の笑顔が簡単にできる」……一回読むと困ったことがなくなり、七回読むとすべてが思い通りになる伝説の名著。いいことが雪崩のごとく起こります！

「相手の本心」が怖いほど読める！
デヴィッド・リーバーマン【著】／小田 晋【訳】

この本はズバリ「読む嘘発見器」です。ささいな〝言葉〟や〝しぐさ〟に隠された相手のホンネを読むコツさえつかめば、仕事や人間関係があなたの思いのままになる。あなたの人生は驚くほど劇的に変わる！

C40014